ユーキャンの
医療事務
リアルにわかる
お仕事マニュアル

第3版

クリニック編

酒井深有　著

はじめに

　私は、医療事務の現場経験は20年以上になりますが、その間に二度、悩んだことがありました。

　一度目は就職したての時です。受付に立って初めて、医療事務の業務が私の想像以上であることを知り、**「医療事務はこんなにも幅広い業務をこなしているのか」**と驚きました。自信に満ちて就職した私は医療事務本来の役割をまったく考えもしなかったことに、とても恥ずかしさを覚え、これからやっていけるのかと悩んだことを今も鮮明に覚えています。

　二度目は、8年間のブランクから、医療事務の業務にいざ復帰しようと思った時です。履歴書には、現場経験の内容と取得資格を書きますが、**「自分の経歴に見合う業務ができるのか？」「自分は今の状況についていけるのか？」**などのプレッシャーでなかなか復帰することができませんでした。ブランクから復帰される方は同じ不安を抱えているのではないでしょうか。

　今思えば一度目より二度目のほうが、経験があったにも関わらず不安は強かった気がします。

　そして、**「今の医療事務の業務がリアルにわかる本はないのか？」**と何軒も本屋さんを回って探しましたが、結局巡り合えませんでした。かつて働いていた時から何が変わって、どんな新しい制度ができたのか、そんなリアルな情報を知ることができれば安心してすぐに復帰できたのではないかと思います。

　この本のお話をいただいたとき、私がかつて巡り合えなかった、

　新人さんやブランクがある人でもスラスラと読め、今の医療事務の業務がリアルにわかり、医療事務員として安心して現場に立つことができるマニュアル本。

という、"理想"に近い一冊を作れるチャンスだと思いました。そして、今回その一冊ができたと自負しています。

　この本を通して、今現に復帰できていない方や、初めての現場で業務についていけていない方へのサポート本としてお役に立てること、そしてみなさんが医療事務の仕事に誇りをもって、活き活きとした姿で現場に立てることを願います。

酒井　深有

もくじ

❗ **おことわり**　本書の診療報酬は、2024 年 6 月改定を反映しています。告示、通知等については、2024 年 8 月までのものを反映しています。薬価は 2024 年 6 月時点のものです。

誰かに助けてもらえてるうちはいいのですが…

第 1 章

外来業務

患者さんの来院目的にスムーズに応対することが受付の仕事です。では、うまく受付をこなすにはどうすればよいのでしょう？　患者さんの立場に立てばおのずと正解に近づくでしょう。あとは、基本の知識さえあればバッチリです。

医療事務員の \ざっくり/

1日のタイムスケジュール

医療事務に興味はあっても、具体的な仕事内容がイメージできない人は多いようです。

中には「目が回るほど忙しい」という評判だけを聞いて、腰が引けている人も。正しい

イメージを描くために、まずは1日の仕事の流れをつかむところから始めましょう。

制服に着替える

主な日常業務

① 受付業務 ………………………… p.4
② 健康保険給付外の受付 ……… p.58
③ 会計書（領収書）の発行 ……… p.86
④ 会計 ………………………………… p.90

毎回、担当場所が変わるクリニックと固定のクリニックがあります

8:00	8:10	8:20	8:30	9:00		12:00	
出勤	掃除	朝礼・申し送り	受付開始	診療開始		受付終了	休憩

午前の会計とレジの現金が一致するか確認

※午前診療 9：00 〜 12：00 　午後診療 15：30 〜 18：30 の場合

保険請求期間は…

● レセプト点検
● 返戻処理
　へんれい
● 増減点表確認
● オンライン請求

保険請求期間はこの時間を使って左記の作業をすることがあります

施錠と電気などが消えていることを確認して退出

制服に着替える

〇〇クリニック

14:30		15:00	15:30		18:30		19:00
出勤	掃除・レジのお金のチェック / 午後診療の準備・申し送り	受付開始	診療開始		受付終了	先生に現金を渡す	業務終了

1日分の会計が合っているか確認

3

1 | 受付業務

クリニックを訪れる患者さんのほとんどは不調や不安を抱えています。そんな患者さんに安心感を与え、スムーズな受診へと案内するのが受付業務です。

受付の役割

 2人ともどうしたの。表情が固いわよ

 受付に座ると緊張しちゃって…

 うまくこなせるか考えるとドキドキです…

 患者さんを不安にさせないようにスマイルスマイル♪

　受付はいわばクリニックの顔です。患者さんがクリニックに対して抱く印象を大きく左右するといっても過言ではないため、明るく親切な応対が求められます。
　窓口に立つことが不安なのは自分なりの正解をもてていないことが原因です。まず、次ページに示す「受付業務の流れ」を頭に叩き込んでください。これが基本フォームになります。そのうえで、各手順のポイントを押さえます。あとは数をこなせば、気づいたときには不安は消し飛んでいるでしょう。自信がつけばきっと窓口に立つのが楽しみになりますよ。

受付業務の流れ

● 初診の場合

 1 来院理由に関する簡単な問診 → p.5

 2 保険資格・受給者証の確認 → p.7

 3 問診票への記入依頼 → p.50

 4 患者情報の登録 → p.52

 5 カルテの作成 → p.54

 6 診察券の発行 → p.56

診察後、会計へ（p.86〜）

健康保険給付外の
受付の場合（p.58〜）

以下、初診の
場合の流れに
そって各手順の
ポイントを
説明します

1 来院理由に関する簡単な問診

1 患者さんがクリニックを訪れる理由は十人十色

患者さんがクリニックを訪れる理由は病気での受診だけとは限りません。

①特定健診を受けるための受診（➡ p.59）
②予防接種を受けるための受診（➡ p.69）
③就職や試験などで必要な健康診断書を取得するための受診（➡ p.65）
④業務災害・通勤災害による受診（➡ p.80）
⑤交通事故等による受診（➡ p.85）
⑥（主に初診時など）マイナ保険証または健康保険証を持参されずに受診希望での来院
⑦提出用診断書の発行のみを希望しての来院（➡ p.67）
⑧検査予約の当日による来院やその結果を聞くための来院

どんな患者さんにも
対応できる柔軟な
声かけを
心がけましょう

2 窓口で行う口頭の問診の重要性

　患者さんは「とりあえずクリニックに出向けば、なんでも対応してもらえる」と思って来院します。医療知識に乏しい患者さんは、たとえば明らかに整形外科にかかるべきケガの場合でも、「これくらいのケガなら内科でも診てくれる」と思ってしまうものです。

　もし、勤め先のクリニックで行えない内容（たとえば、「扱っていないワクチンの予防接種を希望された」「ケガをしてきたけどクリニックで治療できる範囲ではない」など）であれば、然るべき説明をして丁寧にお断りをしなければなりません。

　よくあるのが、患者さんの訴えた症状が、勤め先のクリニックでは診られない範囲の症状であるケースです。詳しく来院理由を聞かずに受け付けてしまい、診察に入って初めて先生から「この症状はうちでは専門外だから診られない」といわれる…。患者さんは当然、さんざん待たされた挙句、診てもらえないことに腹を立てて帰ることになります。このような受付時の判断ミスがクリニックの評判を落とすことにつながります。

今日は
いかがされ
ましたか？

　特に初診時は「問診票に記入してもらう前の問診」が重要です。窓口を訪れた患者さんに「今日はどうされましたか？」と声かけしたのち、話をしっかり聞くことが医療事務員に任された仕事です。

3 患者さんの満足度を上げるための工夫

　医療事務員は医療に携わる者ではありますが、看護師さんのように国家資格をもっているわけではないため、口頭での問診だけで勝手に判断するのも危険です。話を聞いていて判断に困る内容は、早めに「確認して参ります」といって、看護師さんに相談しましょう。

　もし話を聞いた結果、違う診療科に該当する疾患である場合、付近の違う診療科の場所を普段から把握しておき、「この近くの〇〇科でしたら、△△医院がありますよ」など、次の行動につながる情報を追加して教えてあげると親切です。診療を断る場合でも、クリニックの顔として来院した人を不快な気持ちにさせず、満足度を上げる工夫をしましょう。

　最初から、勤め先のクリニックがどこまで対応できるのかを把握することは難しいですが、判断に困ることはすぐに相談し、その結果や対応をしっかりと把握して、「勤め先のクリニックの診療を行える範囲」を覚えていくことが必要です。

2 保険資格・受給者証の確認

オンライン資格確認（➡ p.20）の導入に伴い、窓口業務の手順や流れが大きく変わるので、登録の手違いや診療の妨げにならないよう、業務に対する動線の確認や取り決め等をクリニックごとに考えていかなければなりません。

また、患者さん全員がマイナ保険証（保険証利用登録されたマイナンバーカード）の取り扱いになるわけではなく、資格確認書や保険資格の他に受給者証がある方はまだ紙ベースの受付になるため、さまざまな対応が必要となります。オンラインで情報を取得できるようになっても、医療事務の保険の知識は引き続き必要となるので、しっかりと把握しておきましょう。

● 健康保険証廃止の流れ
① 従来の紙の保険証（健康保険証）は、2024（令和6）年12月2日に廃止
　その時点で発行済みの健康保険証は経過措置により廃止日から最長1年間有効（最長2025〔令和7〕年12月1日まで）。有効期限の記載がある場合はその有効期限まで有効。
② 2024年12月2日以降は、資格確認書または資格情報のお知らせが交付される
　2024年12月2日以降に、健康保険証の有効期限を迎えた場合や、保険の加入手続きや保険証再発行の手続き等をした場合、保険証に代わり資格確認書または資格情報のお知らせが交付される。

・マイナ保険証を利用できない人……「資格確認書」（➡ p.15）
　マイナンバーカードを取得していないなど、マイナ保険証を利用できない人には保険者から資格確認書が交付される（有効期間5年）

・マイナ保険証を利用できる人……「資格情報のお知らせ」
　被保険者が自分の資格情報を簡易に把握できるよう、新規資格取得時や負担割合の変更時には資格情報のお知らせが交付される

マイナ保険証に、紙の保険証に、資格確認書に…うぅっ

 いろんな証書があって混乱しますよね…

 そうなんですよね…ちゃんと確認できるか心配です

 今は過渡期だからいろいろと覚えることや確認することが多くて大変だけど、
押さえるべきポイントを頑張って覚えるように！

1 保険資格・受給者証の確認が必要なタイミング

　まず、保険資格や受給者証は、来院した患者さんが下記に該当する場合、必ず確認する必要があります。

● **マイナ保険証または健康保険証による資格確認が必要な場合**

・初診時

・再来患者さんの月初めの受診時

・保険変更時（つど）

● **受給者証の確認が必要な場合**

・地方自治体（子・障・母）（➡ p.34）や公費（ただし、保険証がなく単独のケースもあり）（➡ p.35）の受給者証をマイナ保険証または健康保険証と一緒に提示された場合

2 どうして保険資格の確認が必要なのか

　保険診療を受ける際の、保険証の提示義務、オンライン資格確認による資格情報の確認を受ける義務は次のように定められています。

> **病院または診療所から療養の給付を受けようとする者は、病院または診療所から、被保険者証を提出する方法、電子資格確認その他厚生労働省令で定める方法（オンライン資格確認等）により、被保険者であることの確認を受けるものとする。**
> ──健康保険法第 63 条、健康保険法施行規則第 53 条の要約

　「そういう法律がある」というのも理由の1つですが、それよりも大きいのは、「クリニックの収入に大きく関係してくる」という点です。ご存知のように医療事務員は毎月1回、診療報酬請求を行います。会計時に患者さんからいただいた一部負担金の残りの金額を保険者等に請求する業務です。請求書を作成するときに、患者さんの保険資格情報が必要になります。もしその情報に不備がある場合は、診療報酬明細書（レセプト）が受理されず保険医療機関に戻され、後に正しい情報がわからない場合は、その分の収益が保険医療機関に入らなくなります。だからこそ情報をしっかりと確認する必要があるのです。

　万が一、保険資格を喪失していたり、こちらのミスで一部負担金の負担率を間違えていたりすると、後日患者さんに再度来院して提示し直してもらったり、不足分のお支払いをしていただくといった余計な手間をかけてしまうことにもつながるため、万が一にも間違いのないよう、細心の注意を払わなくてはいけません。最近ではオンライン資格確認によって、振替・分割ができるようになり、医療機関への返戻は少なくなりましたが、特定できないものや変更できないものは返戻として戻ってきます（➡ p.236）。

 マイナ保険証や健康保険証をもっていない患者さんの場合はどうすればいいんですか？

 その日の医療費が全額自費負担（10 割）になることを伝えればいいと思いますよ

 後日、保険者または役所に申請すれば保険分の金額が払い戻しになることもお伝えしてね。保険医療機関で払い戻しをするところとしないところがあるので、勤め先のクリニックはどうするのか確認すること

3 医療費の患者自己負担割合

　患者さんの窓口自己負担分は、表 1-1 のように、保険別ではなく年齢や所得によって分けられています。

表 1-1　患者自己負担割合

年齢	患者自己負担割合
6 歳・3 月末以前（義務教育就学前）	2 割
6 歳・4 月（義務教育就学）以降〜69 歳	3 割
70 〜 74 歳（高齢受給者）	2 割（現役並み所得者：3 割）
75 歳以上（後期高齢者）	1 割（一定以上所得者：2 割*　現役並み所得者：3 割）

社会保険の自己負担は、1984 年から 1 割、1997 年に 2 割になり、2003 年 4 月に 3 割になりました
国民健康保険は 1961 年から 3 割です

＊：2022 年 10 月 1 日から、一定の所得がある人の一部負担金が 2 割負担になりました（1 割・2 割・3 割負担に分かれる）。また、外来受診においては激変緩和の措置として 2025 年 9 月 30 日まで、1 月分の 1 割負担の場合と比べた負担増を最大 3,000 円に収める措置が導入されています（3,000 円を超えた分は高額療養費の登録銀行口座に償還される）

これだけ！
アドバイス

● **負担割合の変更に注意！**

幼児の場合、子ども医療費助成制度（→ p.34）によって窓口の負担がないため（または、月〇回、1 回〇〇円などの回数制での徴収）、負担割合を気にしていないことが多いと思いますが、義務教育就学と同時に 2 割→3 割に変更されます。居住地の都道府県外での受診の場合などで、窓口負担が発生したときにこのことを理解していないと間違った説明をしてしまいます。

4 保険の種類

保険の種類は大きく下記のⅠ～Ⅲの3つに分けられます。

Ⅰ. 社会保険（社保・職域保険）‥‥‥‥‥‥‥‥‥‥‥‥‥‥‥‥‥‥ p.13

Ⅱ. 国民健康保険（国保・地域保険）‥‥‥‥‥‥‥‥‥‥‥‥‥‥‥‥ p.16

Ⅲ. 後期高齢者 ‥‥‥‥‥‥‥‥‥‥‥‥‥‥‥‥‥‥‥‥‥‥‥‥‥‥ p.18

Ⅳ. その他

Ⅰ～Ⅲに含まれない
Ⅳの制度等については
「7 受給者証等の確認」
（➡ p.28）で紹介します

 まずは全体から押さえましょう。保険制度と法別番号は表1-2の通りです

表1-2 保険制度と法別番号

保険者		法別番号	保険制度	対象者	番号桁数
①被用者保険（社保・職域保険）	全国健康保険協会（協会けんぽ）	01	全国健康保険協会管掌健康保険	主として中小企業が該当	8桁
	全国健康保険協会	02	船員保険	・船舶所有者に雇用されている海上勤務者 ・船員・機関長・機関士・航海士 ・船舶通信士・甲板員 ・商船大学の学生	
	全国健康保険協会（協会けんぽ）	03 04	日雇特例被保険者の保険 一般療養 特別療養費	日雇労働者	
	各健康保険組合	06	組合管掌健康保険	・主に大企業従業員が該当 従業員常時700人以上の事業所の者 同業種の複数企業が共同設立する場合は3000人以上の従業員	

➡ 次ページにつづく

表1-2 保険制度と法別番号（つづき）

	保険者	法別番号	保険制度	対象者	番号桁数
①被用者保険（社保・職域保険）	各駐屯地の部隊	07	防衛省職員給与法による自衛官等の療養の給付	・自衛官・防衛大学の学生 ・自衛隊病院勤務者（自衛隊員） ＊家族は防衛省共済組合（法別番号31）	8桁
	各共済組合	31	国家公務員共済組合	・国家公務員	
		32	地方公務員等共済組合	・地方公務員	
		33	警察共済組合	・警察官	
		34	公立学校共済組合 日本私立学校振興・共済事業団	・公立学校教職員 ・私立学校教職員および日本私立学校振興・共済事業団職員	
	各健康保険組合	63	特定健康保険組合	特定組合退職者	
	各共済組合	72	国家公務員特定共済組合	特定共済退職者	
		73	地方公務員等特定共済組合		
		74	警察特定共済組合		
		75	公立学校特定共済組合 日本私立学校振興・共済事業団		
②国民健康保険（国保・地域保険）	各市町村（特別区）	なし	国民健康保険（一般国保）	社保や国保組合に加入をしていない者（自営業者・自由業者・年金生活者など）	6桁
	各国民健康保険組合	なし	国民健康保険組合（国保組合）	社保や一般国保に加入をしていない者で、同種の事業に従事する300人以上で組織された者	
③後期高齢者	各後期高齢者医療広域連合	39	高齢者の医療の確保に関する法律による療養の給付	・区域内に住所を有する75歳以上の者 ・65歳以上75歳未満の政令で定める程度の障害をもち、後期高齢者医療広域連合の認定を受けた者 ・生活保護受給者は適用除外	8桁

Ⅰ. 社会保険（社保・職域保険）

社会保険（職域保険）は、大きく以下のように分類されます。

①健康保険……一般の被保険者（会社員）とその扶養家族が加入
　　a. 全国健康保険協会管掌健康保険（協会けんぽ）……中小企業が加入
　　b. 組合管掌健康保険……大企業が加入
②共済組合……公務員とその扶養家族が加入
③船員保険……船員とその扶養家族が加入

図 1-1　社会保険被保険者証のイメージ

健康保険 被保険者証	本人（被保険者）　　　　　　00111
	令和 6 年 6 月 25 日交付
	記号 **21700023**　番号 **21**（枝番）**00**

氏名　　　　　コクミン　タロウ
　　　　　　　国民　　太郎
生年月日　　　昭和 50 年　9 月 30 日
性別　　　　　男
資格取得年月日　令和 6 年　6 月 1 日

事業所名称　　○○　株式会社
保険者番号　　**0 1 1 2 3 4 5 6**
保険者名称　　全国健康保険協会　○○支部
保険者所在地　○○市○○区○○町○-○-○

印

2024 年 12 月 2 日に
従来の健康保険証は廃止され
ますが、すでに発行済みのものは
経過措置により廃止日から
最長 1 年は有効となります。
ここではわかりやすいように
従来の健康保険証の券面を
例示して説明します

これだけ！アドバイス

● **政管健保から「協会けんぽ」への変更**

中小企業等で働く従業員やその家族が加入している健康保険（政府管掌健康保険）は、従来、国（社会保険庁）で運営していましたが、2008 年 10 月 1 日、新たに全国健康保険協会が設立され、協会が運営を行っています。そのため、「協会けんぽ」と呼ばれます。

任意継続保険

　任意継続とは、退職しても今の健康保険をそのまま継続できるシステムです。継続できるのは最長2年までで、健康保険証に任意継続被保険者であることと、有効期限が記されています。

　任意継続被保険者の該当条件等は、表1-3 に示す通りです。

図1-2　任意継続保険被保険者証のイメージ

健康保険 被保険者証	本人（被保険者）　　　　　　　　00111 令和6年6月25日交付

記号　50000023　　番号 40（枝番）00

氏名　　　　コクミン　タロウ
　　　　　　国民　太郎
生年月日　　昭和50年　9月30日
性別　　　　男
資格取得年月日　令和6年　6月　1日

任意継続被保険者
資格喪失予定年月日　令和8年6月1日

保険者番号　0 1 1 2 3 4 5 6
保険者名称　全国健康保険協会　○○支部
保険者所在地　○○市○○区○○町○-○-○　　　印

この健康保険証を持参されたら、必ず電子カルテ等の登録時に「有効期限」を入力しておきましょう

有効期限
（＝資格取得から2年後）記載されている日は喪失する日ですが、なぜかこの日まで有効だと勘違いする人が多いです。「記載されている日の前日」までが有効となります。

表1-3　任意継続被保険者の取り扱い

受給資格	被保険者の資格を喪失したものであって、喪失の日の前日まで継続して2か月以上被保険者であった者
手続期限	被保険者の資格を喪失した日から20日以内に「任意継続被保険者資格取得申出書」を提出すること
資格喪失 （有効期限）	任意継続被保険者となった日から起算して2年を経過したときは資格を喪失する
給付範囲	健康保険法による「療養の給付」と同様の保険給付となる
保険料	事業主負担分の保険料を含む全額を任意継続被保険者が負担する義務がある
その他	被扶養者（家族）も給付の対象となる

資格確認書

マイナンバー保険証を持たない人等に保険者が交付する「資格確認書」について、令和5年6月に成立した健康保険法等の改正により、健康保険証の廃止に伴い導入されることとなりました。「マイナンバー保険証を持たない人等」とは主に以下の人が該当します。

- マイナンバーカードを保有していない人
- マイナンバーカードを紛失・更新中の人
- 介護が必要な高齢者や子ども・障害者など
- マイナンバーカードを保有しているが健康保険証利用登録を行っていない人
- 介助者など、第三者が本人に同行して本人の資格確認を補助する必要がある場合など
- その他保険者が必要を認めた人

原則本人の申請に基づき保険者が無償で交付することとなっていますが、マイナ保険証を保有していない人およびその他保険者が認めた人については当分の間、本人の申請によらず保険者が交付することになります（資格確認書の有効期間は、5年以内で各保険者が設定）。

＜資格確認書の様式等＞
資格確認書の必須記載事項は、被保険者証とほとんど同じで、①氏名・性別・生年月日、②被保険者等記号・番号・枝番、③保険者番号・保険者名、④適用開始年月日（国保）・発効期日（後期高齢者制度）・資格取得年月日（被用者保険）、⑤負担割合、⑥有効期限、⑦その他任意情報（各保険者判断で記載事項を選択）です。様式はカード型・はがき型・A4型の3種類で各保険者が選択します。マイナ保険証だけでなく、資格確認書の取り扱い方法も同時に確認しておく必要があります。

 受付で資格確認書を出された場合にはどうすれば？

 従来の健康保険証のようにお預かりして必要事項をチェックします（➡ p.26）。

Ⅱ. 国民健康保険（国保・地域保険）

国民健康保険は、一般国保と国保組合の2つに分かれます。

- 一般国保（市区町村国保）……市区町村の自治体が運営
  職域保険の未加入者で75歳未満の人が対象
  （自営業・自由業・フリーター・農業従事者等）
- 国保組合……国民健康保険組合が運営
  特定の業種の自営業者（同業種によって設立された組織）
  （全国土木建築国民健康保険組合・全国歯科医師国民健康保険組合など）

図 1-3 国民健康保険被保険者証（市区町村）のイメージ

○○都道府県 国民健康保険 被保険者証	有効期限　令和7年9月30日
記号　**42-00**	番号　**0000**（枝番）**01**

氏名　国民　花子　　　　　性別　女
生年月日　　　昭和55年　4月1日
適用開始年月日　平成20年　1月1日
交付年月日　　　令和5年10月1日
世帯主氏名　　　国民　太郎
住所　　　　　　○○市 ○○町1丁目1番地1号
保険者番号　**010101**　交付者名　印

国保は市区町村で、勤めている人はすべて社保だと思っている人が多いです。勤めている人で国保組合に属する人も多いので意識しましょう！

国民健康保険被保険者資格証明書

国民健康保険料の滞納者に対して交付される証明書です。

特別な事情があると認める場合を除き、滞納者は被保険者証の資格喪失後、「国民健康保険被保険者資格証明書」（図 1-4）が交付されます。

被保険者（患者さん）に診療を行った場合は、窓口において全額を徴収し、レセプト上部余白に「特別療養費」と朱記し別綴りにします（電子データではなく、紙レセプトで提出）。

被保険者（患者さん）は支払った費用について特別療養費として保険者に申請し償還払い（しょうかん）を受けます。

 国保扱いをして窓口で3割だけ
徴収する間違いが多いんですよね…

 へぇ〜

 全然気づかなくて、ある日、返戻が
来てびっくりするのよね〜

 しかも、知識不足で戻された理由に
気づかないこともあります…

図1-4　国民健康保険被保険者資格証明書のイメージ

| 国民健康保険被保険者資格証明書 | | | | | | |

| 交付年月日 | 年 月 日 | 交付 | 記号 | 番号 | | 枝番 |
| 有効期限 | 年 月 日 まで | | | | | |

世帯主	氏　名	
	生年月日	年　月　日
	住　所	
保険者	保険者番号並びに保険者名称及び印	負担金の割合　10割

注意事項
1. この証で診療を受けるときは、
　診療費用の全額を支払って下さい。
　以下省略

これだけ！
アドバイス

● 資格証明書を持参した患者さんへの応対のポイント

・証明書持参者＝保険料滞納者を意味するため、窓口での負担割合は10割になります。保険料を納めない限りこの措置がとられます。マイナ保険証の場合は、資格確認を行うと「被保険者証区分」が「被保険者資格証明書」と表示されます。

・有効期限があります。

・保険料を納めれば、負担割合が3割になり7割が保険者から戻ってきます（ただし、患者さん本人が必ず保険医療機関から発行の領収書等を市区町村に持参し、申請する必要があります）。

Ⅲ. 後期高齢者

　75歳の誕生日に、今まで加入していたそれぞれの保険から後期高齢者医療制度に切り替わります。

　65歳以上74歳以下であっても、寝たきりなどの一定の障害があると認定された場合、適用されることがあります。

　月の途中でも誕生日の日から適用になります。

これだけ！アドバイス

「後期高齢者＝75歳以上」ではありません。一定の条件を満たした人は65歳～でも取得できます（障害認定日から該当）。

また、2018年8月から、レセプト特記事項への区分表記が必須になりました。区分を間違えると返戻対象になるので注意しましょう！

図1-5　後期高齢者医療被保険者証のイメージ

頻出トラブル対処法❶

高齢受給者または後期高齢者に該当する方の負担割合は1年ごとに見直されるため、その度に負担割合が変更になっていることが少なくありません。番号の確認に気を取られて、負担割合の確認を見落としがちです。その結果、1割から3割に変更されていた患者さんに後日、2割分を追加徴収しなくてはいけなくなって気まずくなる、あるいは小言をいわれることがよくあります。トラブルを回避するために、番号だけでなく負担割合も必ずチェックする習慣を身に付けましょう。

5 オンライン資格確認

オンライン資格確認とは、患者さんの資格情報等（加入している医療保険や自己負担限度額など）をその場で電子的に確認できる仕組みであり、手入力等の手間を削減できます。また、オンラインで確認したうえでレセプト請求が可能となるため、レセプト返戻の削減が期待されています。

窓口での流れ

①電子カルテ等の起動とともに「顔認証付きカードリーダーアプリ管理画面」を起動させておく（カードリーダーの電源ボタンの有無はメーカーによって異なる）。

顔認証付きカードリーダーアプリ管理画面
モード： 無人運転
状態： 待機中
顔認証：
終了

○×○×○× 医院

マイナンバーカードを
置いてください

※顔認証付きカードリーダー側でも、待機画面が表示される。

②患者さんの有効な資格情報等を確認する。

患者さんがマイナンバーカードを保険証として利用する場合、患者さん自身に操作して本人確認、情報提供に係る同意確認を行ってもらいます。

(1)本人確認を顔認証または暗証番号入力のどちらかを選択して行う

暗証番号を
入力してください。

● ● ● ●

1	2	3
4	5	6
7	8	9
	0	キャンセル

(2)過去のお薬情報提供の同意

過去のお薬情報を当機関に提供することに同意しますか。

この情報はあなたの診察や健康管理のために使用します。

同意する

同意しない

顔や暗証番号での認証手続きが難しい患者さんの場合、同意を得たうえで医療機関の職員がマイナ保険証の顔写真と目視確認して本人照合することも認められています

(3)過去の健診情報提供の同意

> 過去の特定健診情報等を
> 当機関に提供することに
> 同意しますか。
>
> この情報はあなたの診察
> や健康管理のために使用
> します。
>
> 同意する
> 同意しない

(4)高額療養費制度の利用の有無

> 限度額情報や特定疾病療
> 養受療証情報を提供しま
> すか。
>
> 提供する
> 提供しない

> 暗証番号を3回続けて
> 間違えると、ロックされて
> 利用できなくなります。
> その場合、お住まいの市役所等で
> 暗証番号ロック解除と初期化の
> 申請をしていただく必要が
> あるんですよね

※ 2024年10月からは（4）の限度額の情報に関する同意の入力
　は不要になり、医療機関に連携される予定です。

③患者さんの資格情報を取り込む。

　患者さんがマイナンバーカードを取り出したら、自動的に取り込まれる患者さんの資格情報を受付の電子カルテ等端末で確認を行います。お薬や特定健診の内容は同意した場合に閲覧できますが、閲覧できる端末が決まっていることと（医師等のアカウント）、同意から24時間以内に限定されています（情報を電子カルテシステムサーバーに保存された場合はこの限りではありません）。

■ 患者情報					登録
シメイ	シカク　ハナコ	性別	女	資格確認日	令和6年8月1日
氏名	資格 花子	生年月日	昭和59年4月1日	年齢	40歳
保険者番号	12345	保険者名	○○健保	郵便番号	123-4567
記号・番号・枝番	1234	5678910	01	住所	東京都○○区××-△△
患者区分	健康保険組合	本人	3割	電話番号1	××-××××-××××
資格取得年月日	令和6年8月1日	交付年月日	令和6年8月1日	電話番号2	××-××××-××××
有効期限	令和6年8月1日	～	令和10年8月1日		

※端末の操作方法や画面表示はメーカーによって異なるので、詳細は各医療機関の操作マニュアルで確認してください。

> マイナ保険証を利用せず、
> 健康保険証の提示の場合でも、
> 被保険者番号・番号・枝番・
> 生年月日等を電子カルテ等端末に
> 入力することによって資格確認を
> することが可能です

電子カルテ等端末操作のイメージ

　患者さんの情報をレセプトコンピュータ用端末から確認する際の手順を確認しましょう（メーカーによって手順や画面に差異がある場合があります）。

①資格確認済みの患者さんのリストから、レセプトコンピュータ用端末に資格情報を取り込む患者さんを選択する。

■ 資格確認結果一覧

資格確認 2024/08/01

資格確認月	照会区分	資格有効性	資格失効理由	患者ID	カナ氏名	漢字氏名
2024/08/01	マイナンバーカード	有効		00000001	シカク イチロウ	資格 一郎
2024/08/01	マイナンバーカード	有効		00000002	シカク ジロウ	資格 二郎
2024/08/01	被保険者証	有効		00000003	シカク サブロウ	資格 三郎
2024/08/01	被保険者証	無効	死亡	00000004	シカク シロウ	資格 四郎
2024/08/01	被保険者証	有効		00000005	シカク ゴロウ	資格 五郎
2024/08/01	マイナンバーカード	有効		00000006	シカク ハナコ	資格 花子
2024/08/01	マイナンバーカード	有効		00000007	シカク タロウ	資格 太郎

②初回の来院の場合、オンライン資格確認により取得した資格情報が表示される。

■ 資格情報

	項目	取り込み内容
☑	カナ氏名	シカク ハナコ
☑	漢字氏名	資格 花子
☑	性別	女
☑	生年月日	昭和59年4月1日
☑	郵便番号	123-4567
☑	住所	東京都○○区××-△△
☑	保険者番号	12345
☑	被保険者記号	1234
☑	被保険者番号	5678910
☑	被保険者枝番	01
☑	有効開始年月日	2024/08/01
☑	資格取得日	2024/08/01

■ 限度額情報

	区分	開始日	終了日

③2回目以降の来院の場合、オンライン資格確認により取得した資格情報と、レセプトコンピュータ用端末に登録済みの資格情報が表示される。情報に差異がある項目がハイライトされる。

	項目	変更前	変更後
☐	カナ氏名	シカク ハナコ	
☐	漢字氏名	資格 花子	
☐	性別	女	
☐	生年月日	昭和59年4月1日	
☑	郵便番号	987-6543	123-4567
☑	住所	神奈川県○○市●●	東京都○○区××-△△
☐	保険者番号	12345	
☐	被保険者記号	1234	
☐	被保険者番号	5678910	
☐	被保険者枝番	01	
☐	有効開始年月日	2024/08/01	
☐	資格取得日	2024/08/01	

■ 資格情報

④オンライン資格確認により取得した資格情報をレセプトコンピュータ用端末に登録する。

患者ID　00000006　　　性別　　女
カナ氏名　シカク ハナコ　　生年月日　昭和59年4月1日
漢字氏名　資格 花子

保険・公費　管理情報　補足情報

組合

保険者番号	12345
被保険者記号	1234
被保険者番号	5678910
被保険者枝番	01
保険者名	○○健康保険組合
有効期間	2024/08/01 ～
資格	2024/08/01 ～
確認日	2024/08/01

新規公費

負担者番号		公費区分	
受給者番号		識別区分	
有効期間	～		
助成金No.			
市町村No.			

オンライン資格確認におけるポイントおよび注意点

● 高額療養費制度情報について

　以下の高額療養費制度情報は、市役所等に申請に行かなくても患者さんが情報提供に同意をするとオンライン資格確認で取得できます。ただし、それ以外の受給者証はオンライン資格取得できないため、受給者証は窓口で預かって確認することになります（各医療機関のカードリーダーによって受給者証情報の取得範囲は異なります）。

　　※保険者がデータを登録しておらず、適用区分の変更がされていない場合やオンライン資格確認ができない場合には患者さんに申請していただく必要があります。

対象となる証類	主に表示される内容
限度額適用認定証	適用区分
限度額適用・標準負担額減額認定証	適用区分（長期入院該当年月日）
特定疾病療養受療証	認定疾病名（自己負担限度額）

● 住所情報等について

　患者さんの住所は、保険者に登録されている情報が反映されるため、住民票の住所と異なる場合があります。また、患者さんの氏名に外字が含まれていると、正しく反映されない場合があります。初診時の場合、情報のほとんどが自動的に取り込まれますが、入力情報がすべて正しいとは限りません。問診票等をもとに、画面内の情報を再度確認する必要があります。

● お薬情報について

　お薬情報は、病院や診療所・薬局から審査支払機関に提出された令和3年9月分以降のレセプトから抽出したデータです。また、診療情報に関しては令和4年6月以降分が抽出されています。毎月保険請求（5～10日）で受付したデータが一括で11日の朝までに登録されます。閲覧・保存期間はどちらも3年間です。また、電子処方箋管理サービスを利用の場合は薬剤情報と異なり、医師・薬剤師等が電子処方箋管理サービスに情報を登録してそのつどデータとして反映されますが、閲覧・保存期間は100日間です。

● 特定健診情報等について

　特定健診情報等の保険者による登録は任意となっており、患者さんによって特定健診情報

等が表示されない場合があります。2020（令和2）年分以降の情報が閲覧可能となりますが、閲覧・保存期間は5年間までです。また、保険者が最新の特定健診情報を登録する時期に関しては保険者ごとに異なります（厚生労働省HPで確認できます）。

● **マイナンバーカードによるオンライン資格確認を行うことができない場合**

　転職等で保険資格を喪失し、新たな転職先の保険者でデータ登録が間に合っていない場合に「資格が無効」と表示されることがあります。このように、オンラインでの資格確認ができない場合、その日の診療費の10割を請求（資格情報確認でき次第、差額分を返金）することも可能ですが、次のような対応を医療機関にお願いする事務連絡も出ています。

何らかの事情でその場で資格確認を行えないケース	⇒	資格確認*1.2	⇒	窓口負担	⇒	レセプト請求	⇒	医療費負担
①「資格（無効）」、「資格情報なし」と表示された場合 ②機器不良等のトラブルによりオンライン資格確認ができない場合 （例） ・カードリーダーや資格確認端末の故障 ・患者さんのマイナンバーカードの不具合、更新忘れ ・停電、施設の通信障害、広範囲のネットワーク障害など		【可能なら、いずれかの方法で資格確認を行う】 ・マイナポータルの資格情報画面もしくはPDFファイル（患者さんのスマートフォンで提示可能な場合） ・健康保険証（患者さんが持参している場合） 【上記の方法で資格確認できない場合】 ・患者さんに、被保険者資格申立書の記入をお願いする*3		患者さん自己負担分（3割等）を受領する		①現在の資格情報の確認ができた場合は、当該資格に基づき請求する ②①が困難な場合でも、過去の資格情報（保険者番号や被保険者番号）が確認できた場合には、当該資格に基づき請求する ③①・②のいずれも困難である場合には、保険者番号や被保険者番号が不詳のままでも、請求を行うことが可能 ※この場合、診療報酬等の支払いまでに一定の時間がかかることがある		・受診等された患者さんが加入している保険者が負担 ※過去の資格情報に基づき請求されたレセプトや、資格情報不詳のままで請求されたレセプトについても、審査支払機関において、可能な限り直近の保険者を特定する ・最終的に保険者を特定できなかった場合、災害等の際の取扱いを参考に、保険者等で負担を按分

＊1：顔認証付きカードリーダーで顔認証等がうまくいかない場合、モードを切り替えて、医療機関・薬局の職員の目視により本人確認を行うことも可能
＊2：その場でまたは事後的にシステム障害時モードを立ち上げて、資格確認をすることも可能
＊3：過去に当該医療機関等への受診歴等がある患者さんについて、その時から資格情報が変わっていないことを口頭で確認し、被保険者資格申立書に記載すべき情報を把握できている場合には、被保険者資格申立書の提出があったものと取り扱うことが可能

これだけ！アドバイス

● **オンライン資格確認で迷ったときは…**

オンライン資格確認の利用拡大に伴い、覚えることや迷うことも増えるでしょう。そんなときは、次のサイトが参考になります。

・「医療機関等向け総合ポータルサイト」

https://iryohokenjyoho.service-now.com/csm?id=csm_index

　マイナ保険証ではなく、健康保険証を提示してもらったら、それが患者さん本人のものであるかを確認する必要があります。たとえば、国民健康保険の被保険者証では、図1-6に示した項目を確認します。

図1-6 国民健康保険被保険者証のチェックポイント

※ 2021年9月診療分以降、「枝番」が記載された被保険者証等によって患者さんが受診された場合、電子レセプトへの登録が必要となりました。

 健康保険証の廃止以降も健康保険証は使えるんですね？

 そうね、発行済みの健康保険証の場合は、健康保険証廃止から最長で1年間使用できることになっているわ

 その1年よりも前に健康保険証の有効期限が来たら？

 最長でも健康保険証に記載してある有効期限までしか使えません

被保険者証の記号・番号について

窓口で、患者登録として被保険者証の情報を入力する際、保険者番号・記号・番号の順で入力しますが、被保険者証の種類によっては記号・番号の両方が必ず揃ってあるわけではありません。特に後期高齢者の被保険者証は記号がなく番号のみの記載となっているため、記号の欄に「／」「ー」等や、番号に入れるはずの数字を記号の枠に入力して返戻になるケースが多いようです。

また、都道府県によって異なりますが、一般国保（市区町村国保）でも番号のみ記載されている被保険者証も同様です。記号の欄に何も入力しないことに抵抗があるかもしれませんが、少しでも情報通りでなければ誤りと判断されますので、普段から被保険者証通りの入力を心がけることが返戻防止につながります。

これだけ！
アドバイス

健康保険証ではなく、資格確認書（➡ p.15）を提示された場合も、チェックする項目は健康保険証とほぼ同じです。以下の情報を、しっかりと正確に確認しましょう。

①氏名・性別・生年月日、②被保険者等記号・番号・枝番、③保険者番号・保険者名、④適用開始年月日（国保）・発効期日（後期高齢者制度）・資格取得年月日（被用者保険）、⑤負担割合、⑥有効期限

7 受給者証等の確認

　ここからは患者さんの条件・環境によってマイナ保険証または健康保険証にプラスして持参される受給者証を紹介します。

　p.13 ～ p.19 で学んだ I ～ III の保険制度のように、独立した制度ではありません。

　基本的に I ～ III の保険にプラスして扱うものなので単体での使用はできません（ただし、公費単独を除く）。マイナンバーカードに情報を一元化する動きもありますが、自治体によって状況が異なり、マイナ保険証での受付であっても、受給者証は別でお出しいただく場合が多いのが現状です。

● 基本的な使われ方

※受給者証の数は、患者さんによって異なります

（1）前期高齢者医療制度（高齢受給者証）

　後期高齢者になるまでの 70 ～ 74 歳が対象です（65 ～ 74 歳で後期高齢者医療制度を利用している人は除く）。

「後期高齢者」のように「前期高齢者」とは書かれておらず、「高齢受給者証」と書かれています。違うものだと勘違いしないようにしましょう

この 2 つで 1 セット
必ず毎回 2 つとも提示していただくことになります

後期高齢者は、誕生日当日から切り替わりますが、前期高齢者は、70歳の誕生日の前日が属する月の翌月からをいいます（1日生まれの場合はその月から該当）。

　　例）　5月3日生まれ→6月1日から該当
　　　　　5月1日生まれ→5月1日から該当

これだけ！
アドバイス

● 被保険者証と高齢受給者証が1枚に

高齢受給者に該当する人には被保険者証と高齢受給者証が1枚になった「被保険者証兼高齢受給者証」が交付される自治体もあります。

高齢受給者証に記載されていた負担割合と発効期日が追加記載されます。ただし、市区町村によって対応が異なる場合がありますので、各市区町村のHPをきちんと確認してください。

受給者証等のコピーやスキャンをさせてもらったのはいいものの、返却し忘れることがあります。コピー機の蓋を開けたときに気付いて、大慌て……というようなことがないよう、「お預かりすること」と「返却すること」を1セットの動作として頭に叩き込みましょう。

＜起こりがちなミス＞

① 受給者証等をコピーしたあと、コピー機に残したまま、次にコピーを取るときまで気付かない

② 受給者番号の入力ミス（「5124087」を「5124078」と打ち間違えるなど）

③ 小さく軽いので、知らないうちにカルテの縁に挟まってしまったり、カルテの横に落ちたりしてしまう

④ 違う患者さんに返却してしまう

※特に高齢の患者さんは名前を呼ぶと、なんでも自分だと思って反応してしまいます。渡された受給者証を自分のものかどうか確認せずにバッグにしまってしまうこともしばしば。気をつけましょう

借りたものはすぐ返す、と…

（2）限度額適用認定証

　保険医療機関窓口での支払いが高額になりそうな場合は、限度額適用認定証（図1-7）を申請し、保険証と併せて提示することで1か月（1日～月末まで）の窓口での支払いが自己負担限度額までとなる制度です。

　保険証提示の場合は限度額認定証が必要ですが、オンライン資格確認の場合では、申請が

なくても患者さんの同意があれば限度額情報（適用区分）を取得でき、限度額までの支払いで済ませることが可能です。

図1-7　限度額適用認定証のイメージ

国　民健康保険	限　度　額　適　用　認　定　証		
	令和　　　年　　　月　　　日　交付		
被保険者証記号番号枝番			
住所			
世帯主氏名			
適用対象者	氏　名		
	生年月日	年　　　月　　　日	
	発効期日	年　　　月　　　日	
	有効期限	年　　　月　　　日	
	適用区分	区　分　ア	
保険者番号並びに保険者の名称及び印	☐☐☐☐☐☐☐	○　○　○　市	

マイナ保険証（※）を利用すれば、事前の手続きなく、高額療養費制度における限度額を超える支払いが免除されます。限度額適用認定証の事前申請は不要となりますので、マイナ保険証をぜひご利用ください。
※　電子資格確認に利用される個人番号カードをいいます。

全員がもっているわけではありません

レセプトの特記事項（➡ p.99）に反映されます

これだけ！アドバイス

● **限度額適用認定証を持参された場合の注意点**

限度額適用認定証を持参された場合は、レセプトの特記事項に適用区分が上がるように、頭書登録（保険情報を入力する画面➡ p.52）に適用区分（区分の入れ方は電子カルテ等によります）を入力しなければならない点に注意！

2022（令和 4）年 10 月から自己負担限度額が 3 つに分かれ、「70 歳未満」「70 歳〜 74 歳」「75 歳以上」になりました（上限額とレセプト特記事項の表記が変更されているところがあります）（表 1-4）。

表 1-4　医療費の I か月の自己負担限度額

所得区分			自己負担限度額（1 か月）		
			外来	入院	
70歳未満	上位所得		252,600 円＋（総医療費 － 842,000 円）×1%〈多数回該当 140,100 円〉* ²		
			167,400 円＋（総医療費 － 558,000 円）×1%〈多数回該当 93,000 円〉		
	一般		80,100 円＋（総医療費 － 267,000 円）×1%〈多数回該当 44,400 円〉		
			57,600 円〈多数回該当 44,400 円〉		
	低所得		35,400 円〈多数回該当 24,600 円〉		
70歳〜74歳	現役並み所得	Ⅲ	252,600 円＋（総医療費 － 842,000 円）×1%〈多数回該当 140,100 円〉		
		Ⅱ	167,400 円＋（総医療費 － 558,000 円）×1%〈多数回該当 93,000 円〉		
		Ⅰ	80,100 円＋（総医療費 － 267,000 円）×1%〈多数回該当 44,400 円〉		
	一般		18,000 円	57,600 円〈多数回該当 44,400 円〉	
	低所得	Ⅱ	8,000 円	24,600 円	
		Ⅰ	8,000 円	15,000 円	
75歳以上	現役並み所得	Ⅲ	252,600 円＋（総医療費 － 842,000 円）×1%〈多数回該当 140,100 円〉		
		Ⅱ	167,400 円＋（総医療費 － 558,000 円）×1%〈多数回該当 93,000 円〉		
		Ⅰ	80,100 円＋（総医療費 － 267,000 円）×1%〈多数回該当 44,400 円〉		
	一般	Ⅱ	18,000 円	57,600 円〈多数回該当 44,400 円〉	
			6,000 円＋（総医療費 － 30,000 円）×10%* ³		
		Ⅰ	18,000 円	57,600 円〈多数回該当 44,400 円〉	
	低所得	Ⅱ	8,000 円	24,600 円	
		Ⅰ	8,000 円	15,000 円	

＊ 1：高額療養費の現物給付にかかわらず、該当の証が提示された場合、レセプトの特記事項へ所得区分の記載が必要です。なお、70 歳以上の被保険者はすべて記載が必要です。

＊ 2：「多数回該当」…過去 1 年間以内に 3 回以上高額療養費の対象になった場合、4 回目以降はさらに自己負担額が引き下げられるという特例制度。

＊ 3：2022（令和 4）年 10 月 1 日から 2025（令和 7）年 9 月 30 日までの配慮措置対象期間中の自己負担限度額です。

証の提示	レセプト特記事項の記載*1	摘要欄の記載
「適用区分ア」	26 区ア	
「適用区分イ」	27 区イ	
「適用区分ウ」	28 区ウ	
「適用区分エ」	29 区エ	
「適用区分オ」 （住民税非課税者）	30 区オ	
「3 割」	26 区ア	
「3 割」 「適用区分 現役並みⅡ」	27 区イ	
「3 割」 「適用区分 現役並みⅠ」	28 区ウ	
「2 割」	29 区エ	
「2 割」 「適用区分Ⅱ」	30 区オ	低所得Ⅱ
「2 割」 「適用区分Ⅰ」	30 区オ	低所得Ⅰ
後期高齢者医療被保険者証「3 割」	26 区ア	
後期高齢者医療被保険者証「3 割」 後期高齢者医療限度額適用認定証「適用区分 現役並みⅡ」	27 区イ	
後期高齢者医療被保険者証「3 割」 後期高齢者医療限度額適用認定証「適用区分 現役並みⅠ」	28 区ウ	
後期高齢者医療被保険者証「2 割」	41 区カ	
後期高齢者医療被保険者証「1 割」	42 区キ	
後期高齢者医療被保険者証「1 割」 後期高齢者医療限度額適用・標準負担額減額認定証「適用区分Ⅱ」	30 区オ	低所得Ⅱ
後期高齢者医療被保険者証「1 割」 後期高齢者医療限度額適用・標準負担額減額認定証「適用区分Ⅰ」	30 区オ	低所得Ⅰ

注　1 つの保険医療機関等での自己負担（院外処方代を含みます。）では上限額を超えないときでも、同じ月の別の保険医療機関等での自己負担（70 歳未満の場合は 21,000 円以上であることが必要です。）を合算することができます。この合算額が上限額を超えれば、高額療養費の支給対象となります。

※ 70 歳以上の低所得（住民税非課税）Ⅰ・Ⅱ、現役並み所得Ⅰ・Ⅱの患者さんはそれぞれ「限度額適用・標準負担額減額認定証」「限度額適用認定証」を保険医療機関に提示することで、外来・入院ともに同一保険医療機関等での医療費の支払いが限度額にとどめられます。また、所得区分が一般、現役並み所得Ⅲの患者さんの場合、認定証は発行されませんが、各限度額の設定はあります。

（3）地方自治体による福祉医療費助成制度

　経済的や社会的に立場が弱い傾向にある障害者や老人・子どもなどの医療費を助成し、保健や福祉の向上と増進を目的とした制度です。実施主体は市区町村です。いずれかの受給者証を保険証と併せて窓口で提示することによって公費扱いとなり、自己負担金が市区町村独自の制度で助成されます。

　主な制度は、以下のように分かれます。

　　● **対象者別の各制度**　※年齢や対象基準は市区町村によって異なります
　　・子ども医療費助成制度
　　・重度心身障害者医療費助成制度
　　・ひとり親家庭（母子・父子家庭）医療費助成制度
　　・精神障害者医療費助成制度

　対象基準は市区町村単位で異なるので注意が必要です。

　たとえば、子ども医療費助成制度でいえば、各都道府県内の保険医療機関窓口で健康保険証と子ども医療費受給者証（図1-8）を提示することにより、保険診療に関する医療費の窓口負担がなくなります。

　資格期限（年齢）は各市区町村によって異なります〔例：中学校卒業までの子ども（15歳の誕生日前日以後最初の3月末まで）〕。

　所得制限は市区町村で異なりますが、他都道府県での使用は不可です。

> 他の都道府県の
> 受給者証を提示された場合は、
> 保険証の負担率分を
> 窓口で徴収します
> （帰省中や旅行先の受診などが
> 該当します）

図1-8　子ども医療費受給者証のイメージ（子ども医療費助成制度で使用）

�子 子ども医療費受給者証	
受給者番号	
受給者	住　所
	氏　名
子ども	氏　名
	生年月日
有 効 期 間	
発行機関名及び印	○ ○ 県 ○ ○ 市
交付年月日	

（4）公費負担医療制度

　公費負担医療制度とは、疾患や患者さんの置かれている境遇に応じて医療費の一部あるいは全額を国や地方自治体が負担する制度です。

窓口でよく扱う公費については、39ページ以降で紹介します

● 患者負担一覧

　公費負担医療の患者負担を表1-5にまとめました。

表1-5　公費負担医療の患者負担一覧

法別番号	制度・法律名	制度・法律の分類	対象者	患者負担	医療機関
10	感染症法〔第37条の2（適正医療）〕	結核一般医療	結核一般患者	5%負担あり	指定医療機関
11	感染症法〔第37条（入院医療）〕	結核入院医療	結核を伝染させるおそれの著しい者	所得に応じた費用負担	同上
12	生活保護法	医療扶助	生活保護法被保護者	本人支払額の生ずる場合がある	同上
13	戦傷病者特別援護法	戦傷病者療養給付	戦傷病者（戦傷病者手帳所持者）	無	同上
14		戦傷病者更生医療			
15	障害者総合支援法	自立支援医療（更生医療）	18歳以上の身体障害者	原則1割負担（所得に応じた上限あり）	同上
16		自立支援医療（育成医療）	18歳未満の身体障害児	原則1割負担（所得に応じた上限あり）	同上
17	児童福祉法	療育医療	結核児童（6か月以上入院）	所得に応じた費用負担	同上
18	原子爆弾被爆者に対する援護に関する法律	認定疾病医療	原爆医療法第10条の認定患者	無	同上
19		一般疾病医療	原子爆弾被爆者（被爆者健康手帳所持者）	無	同上

➡ 次ページにつづく

表 1-5 公費負担医療の患者負担一覧（つづき）

法別番号	制度・法律名	制度・法律の分類	対象者	患者負担	医療機関
20	精神保健福祉法	措置入院	自身を傷つけまたは他に害を及ぼすおそれのある精神障害者	所得に応じた費用負担	指定医療機関
21	障害者総合支援法	自立支援医療（精神通院医療）	精神障害者の通院患者	原則1割負担（所得に応じた上限あり）	同上
22	麻薬及び向精神薬取締法	麻薬入院措置	麻薬中毒患者の入院	所得に応じた費用負担	同上
23	母子保健法	養育医療	2,000g以下の未熟児（入院）	所得に応じた費用負担	同上
24	障害者総合支援法	自立支援医療（療養介護医療）	18歳以上の療養介護サービス対象疾病者	原則1割負担（所得に応じた上限あり）	指定療養介護事業主または基準該当病院
25	中国残留邦人等の円滑な帰国の促進及び永住帰国後の自立の支援に関する法律	中国残留邦人	特定中国残留邦人等	本人支払額の生ずる場合がある	指定医療機関または指定介護機関
28	感染症法	一類・二類感染症等	患者・疑似症患者・無症状病原体保有者（入院のみ）	所得に応じた費用負担	指定医療機関
29		新感染症	新感染症に罹患していると思われる者	所得に応じた費用負担	同上
30	心神喪失等の状態で重大な他害行為を行った者の医療及び観察等に関する法律	心神喪失	心神喪失により他害行為を行ったもの	無	同上
38	肝炎治療特別促進事業	肝炎治療特別促進事業	B型およびC型肝炎患者	所得に応じた費用負担	契約医療機関
51	難病の患者に対する医療等に関する法律	特定疾患治療研究事業	スモン、プリオン病（ヒト由来乾燥硬膜移植によるクロイツフェルト・ヤコブ病に限る）、劇症肝炎および重症急性膵炎の患者	無	契約医療機関

法別番号	制度・法律名	制度・法律の分類	対象者	患者負担	医療機関
52	児童福祉法	小児慢性特定疾病に関する助成	小児特定疾病医療支援事業対象疾病認定患者	原則2割（所得に応じた上限あり）	指定医療機関
53	児童福祉法	児童福祉施設措置医療	児童福祉法により措置を受けた者	無	保険医療機関
54	難病の患者に対する医療等に関する法律	特定医療（指定難病）	指定難病の診断を受けており、国の定めた病状の基準を満たしている者	原則2割（70歳以上で1割負担の患者は1割）（所得に応じた上限あり）	指定医療機関
			指定難病の診断を受けており、国の定めた病状の基準を満たしていないが軽症高額該当者である者		
66	石綿による健康被害の救済に関する法律	石綿健康被害救済制度	石綿を吸入することにより指定疾病にかかった旨の認定を受けた者	無	保険医療機関

・保険医療機関……厚生労働省から指定を受けた保険証を使える病院・診療所・薬局
・指定医療機関……都道府県知事に申請して、その申請した内容に対する公費で取り扱える保険医療機関
・契約医療機関……都道府県知事と契約した医療機関

福祉医療費助成制度と
公費負担医療制度って
窓口でお金をもらわないから、
同じ制度だと勘違い
してました

特に窓口が市区町村の
生活保護課なので、
生活保護が公費に
該当するなんて
思いもよりませんでした

公費と自治体公費の違い

窓口でお会計が発生しない患者さんや、支払金額に上限がある患者さんは、すべて「公費」という言葉でくくってしまいます。しかし、公費には「国の公費」と「都道府県・市区町村が独自で行っている自治体公費（福祉医療費助成制度）」があります。名称が違うということは、当然違いがあるわけですが、医療事務員の多くは違いを理解していません。

「お会計のない人＝公費」と単純に捉えるのではなく、制度自体を理解することも大事です。

・公費……日本の医療制度として、個々の法律に基づき特定の人々を対象として行い、全額公費負担や医療保険優先で自己負担のみ公費などのさまざまな公費負担医療制度がある

＜公費の例＞

・医療扶助による生活保護法（法別番号 12）
・障害者総合支援法による精神通院医療（法別番号 21）
・障害者総合支援法による更生医療（法別番号 15）
・障害者総合支援法による育成医療（法別番号 16）
・難病法による指定難病患者に対する医療（法別番号 54）　など

・自治体公費……日本の医療制度とは別で、都道府県・市区町村等が主体となっている公費。年齢や条件は都道府県・市区町村によって異なり、都道府県単位で取り扱うことができる

＜自治体公費の例＞

・乳幼児等の児童に係る医療に関するもの
・心身障害者に係る医療に関するもの
・ひとり親家庭に係る医療に関するもの
など

● 主な公費① 生活保護法（法別番号 12）

　生活保護は、国の公費扱いです。保険証自体はなく、その代わりに福祉事務所（生活保護課）で「医療券」を発行してもらうことで保険診療を受けることができます。保険医療機関ではこの医療券に基づいて、医療費を福祉事務所へ請求します（保険請求上は支払基金へ送ります）。

　「医療券」（図 1-10）または「診療依頼書」（p.42）を見て、生活保護を受けていることを確認します（どちらももっていない場合は患者さん在住の役所の生活保護課に直接電話しましょう）。2024（令和 6）年 3 月より医療扶助でもオンライン資格確認が導入され、情報の閲覧が可能になりました。

図 1-9 生活保護の公費適用までの流れ

図1-10 医療券のイメージ

参考　県保健福祉事務所　様式

生活保護法医療券・調剤券（　　年　　月分）

公費負担者番号							有効期間		日から 　日まで
受給者番号							単独・併用別	単独・併用	
氏　名	（男・女）								
居住地									
指定医療機関名									
傷病名	(1) (2) (3)			診療別	入院　　歯科 入院外　　調剤 訪問看護				
				本人支払額		円			
地区担当員名		取扱担当者名							
				県　保健福祉事務所長　印					
備考	社会保険		あり（健・共）　　なし						
	感染症の予防及び感染症の患者に対する医療に関する法律第37条の2		あり　　　　　　なし						
	その他								

備考　1.　この用紙は、A列4番目白色紙黒色刷りとすること。
　　　2.　「指定医療機関名」欄に指定訪問看護事業者の名称を記入する場合には、訪問看護ステーションの名称も併せて記入すること。

「医療券」に
自己負担額が
載っている場合が
あるんですよね

そうなの。
「医療券＝0円」と
思い込んで保険請求すると
返戻の対象となるから
注意が必要よ

これだけ！アドバイス

● **医療券に関する注意点**

医療券は、生活保護受給者本人が居住地の役所に行って（または連絡をして）発行してもらう必要があります。

本人が自ら医療券をもってくるか、保険医療機関に役所からの連絡があることによって、公費での受診が可能です。

患者さんの口頭だけでは公費扱いはできない点に注意！

口頭で伝えられた場合、生活保護課への確認が必須です。

医療要否意見書

　医療要否意見書とは、生活保護受給中の患者さんが保険医療機関にて医療を受けるにあたり、生活保護の実施機関である福祉事務所が、その患者さんの病状の把握を主な目的として、主治医に意見を求めるための書類です。保険医療機関はこの書類に主治医が病状に対する意見を記載したものを、福祉事務所へ送付します。医療要否意見書が福祉事務所へ到着して、嘱託医が医療の必要性を認めた段階で、医療券が発行され、保険医療機関へ送付されます。

　生活保護法では、第50条第1項の規定により、「指定医療機関医療担当規程」が定められており、その第7条において「指定医療機関は、その診療中の患者及び保護の実施機関から生活保護法による保護につき、必要な証明書又は意見書等の交付を求められたときは、無償でこれを交付しなければならない」と規定されています。よって、医療要否意見書を発行しても文書料を徴収することはできません。

医療扶助のオンライン資格確認

　2024（令和6）年3月から医療扶助のオンライン資格確認が運用開始となりました。導入された医療機関は医療券が不要となり、オンラインで資格の確認を行うことができます。ただし、オンライン資格確認を利用できる条件は、

① 生活保護受給者の方がマイナンバーカードを取得し、オンライン資格確認の利用申込が完了していること
② 医療機関で利用可能な端末が準備できていること

となりますので、上記すべての利用条件を満たしていない場合は、従来の医療券での取り扱いとなります。
　また、オンライン資格確認を行った場合は、医療券・医療連絡簿の紙による発行はなくなりますが、医療要否意見書は引き続き紙媒体での運用になりますので注意が必要です。

＜通常パターン＞
委託先の医療機関・薬局での資格確認時の表示画面イメージ

○：この資格は有効です。
照会番号：0000001
公費負担者番号：12000001　福祉事務所名：○○市福祉事務所　受給者番号：1010001
氏名：生保太郎　性別：男　生年月日：平成2年1月15日
医療券／調剤券別：医療券　診療年月：令和6年8月
指定医療機関名：●●医療機関　単独／併用別：単独
有効開始年月日：令和6年8月1日
有効終了年月日：令和6年8月31日
傷病名1：XXX　傷病名2：XXX　傷病名3：XXX

＜未委託のパターン＞
未委託の医療機関・薬局での資格確認時の表示画面イメージ

○：この資格は有効です。(医療券／調剤券情報が未登録です。)
照会番号：0000001
公費負担者番号：－　福祉事務所名：○○市福祉事務所
受給者番号：－
氏名：生保太郎　性別：男　生年月日：平成2年1月15日
医療券／調剤券別：－　診療年月：－
指定医療機関名：－　単独／併用別：－
有効開始年月日：－
有効終了年月日：－
傷病名1：－　傷病名2：－　傷病名3：－

未委託の医療機関である場合、表示されません

医療要否意見書を提出すると、福祉事務所（生活保護課）から診療見込み機関に医療券連名簿が届き、これが医療券の代わりとなります。医療券連名簿は、毎月、保険医療機関に郵送されます。届いたら、各患者さんの有効期限が延長になります。

毎月、保険請求前までに当月受診した受給者（患者さん）の番号等の確認を忘れないよう気をつけましょう。医療券などが届いていない場合、福祉事務所（生活保護課）に連絡を入れてください。

診療依頼書

生活保護を受けている人が医療扶助を受けたい場合には「医療券」を提示する必要があります（市区町村によって異なります）。しかし「医療券」は発行に時間がかかることが多く、今すぐ受診したいときに不都合が生じます。そんなときに「医療券」の代役を果たすのが「診療依頼書」です。これは自治体（生活保護受給者在住の市役所など）の窓口で依頼すればすぐに発行してもらえます。保険医療機関にとってはこの「診療依頼書」が生活保護受給者であることの証明書となります。

これだけ！
アドバイス

● **社会保険併用**

基本的に生活保護は「公費単独」（無保険）扱いになりますが、会社に勤務しながら生活保護を受けているケースでは、「社会保険併用」になる場合があります。その場合、自己負担金が発生する場合があるため、保険請求時には注意が必要です。

頻出トラブル対処法❸

どの保険医療機関でも、生活保護の患者さんの来院はあるので、よくわかっているように思えますが、意外に勘違いしている医療事務員が多いのが下記の3点です。生活保護の患者さんの来院は多いだけに、トラブルにつながらないよう、この機会に正しい知識を身につけましょう。

＜生活保護に関する勘違いベスト3＞

① 生活保護のレセプトは国保に請求していると思っていた

普段、役所の生活保護課とのやり取りが多いので、国保に属していると思っている医療事務員が多いです。生活保護は、社会保険事務所が管轄しており、その間の業務は市役所等が窓口となって行っているため、基本的には支払基金の取り扱いとなります。オンラインで請求するとあまり意識しなくなるので、国保にオンラインで送られていると思うようです。

② 生活保護を保険の一種であると思っていた

生活保護は「法別番号12」の生活保護法から補償されているため、国の公費扱いになります。よくあるのが、国保・社保のような保険の一種だと思っていたり、0割であることから、地方自治体による福祉医療制度と同じだと思う勘違いです。

③ 生活保護は公費単独しかないと思っていた

基本的に、生活保護は公費単独ですが、社保との併用が認められることがあり、一部負担金が発生する場合もあります（その場合、こちらでは判断できません。生活保護課の担当者から連絡が来て初めて処理する形になります）。開始月の医療券にも一部負担金が載っている場合が多いので、開始以降必ず確認が必要です。

　休日・夜間等の福祉事務所閉庁時において、医療券がない患者さんや、役所の生活保護課からの連絡がない患者さんが来院した場合、自費で（10割）で徴収し、医療券確認後、全額返金となります。ただし、「休日・夜間等受診証」（図1-11）を提示された場合は、その受診証が証明となり0割で受診できます。

　休日・夜間等受診証とは、夜間・休日など福祉事務所（生活保護課）の閉庁時に急病になって医療券等の交付申請ができない場合、一部例外を除き交付される証明書です。受診証を持参している場合は、本人（またはその家族）であることや有効期限内であることを確認のうえ、公費扱いで診療を受けることができます。受診証に受診日・医療機関名・受診者氏名を記入後、患者さんには後日速やかに福祉事務所（生活保護課）に届け出るように伝えてください。後日、医療券が保険医療機関に届きます。

図1-11　**休日・夜間等受診証のイメージ**

⑤　休日・夜間等受診証			
交付番号			
世帯主	住　所		
	フリガナ		
	氏　名		
	生年月日		性別
	他　法		
交付年月日	年　月　日		
有効期限	年　月　日　有効期限にかかわらず、生活保護が廃止になった者は無効です。		
市　区社会福祉事務所長			

世　帯　員　情　報			
世帯員氏名	生年月日	性別	他法欄

受　診　記　録			
患者氏名	医療機関名	受診年月日	印

● 主な公費② 特定医療（指定難病）法別番号 54

　2015 年 1 月 1 日から「難病の患者に対する医療等に関する法律」（難病法）に基づく特定医療費助成制度が始まり、対象疾病は 2024 年 4 月 1 日現在で 341 疾病です。

 うちは特定医療費助成制度が使える「指定医療機関」なんだっけ？

 えっと…

　➡ p.48 のこれだけ！ アドバイス

受給者証持参の患者さんが窓口を訪れてからの流れ（初診の場合）

　下記①〜④の流れで進めます。

①特定医療費受給者証を確認する

　被保険者証とともに「特定医療費受給者証」（図 1-12）と「自己負担上限額管理票」（図 1-13）を確認する。

図1-12 特定医療費受給者証のイメージ

図1-13 自己負担上限額管理票のイメージ

○年２月分　自己負担上限額管理票

受診者		受給者番号	

月間自己負担上限額　　　5,000 円

下記のとおり月間自己負担上限に達しました。

日　付	医療機関名	確認印
２月 ８日	○○クリニック	○○クリニック

日　付	医療機関名	医療費総額 （10 割分）	自己負担額	月間自己負担額 累積額	確認印	備考
２月 １日	○○クリニック	￥9,000	￥1,800	￥1,800	○○クリニック	障
２月 １日	○○薬局	￥2,000	￥400	￥2,200	薬局	障
２月 ８日	○○クリニック	￥16,000	￥2,800	￥5,000	○○クリニック	障
２月 15日	○○クリニック	￥3,000				
月　　日						
月　　日						

これだけ！
アドバイス

● 「自己負担上限額管理票」は毎回チェック！

「特定医療費受給者証」は、毎月、保険証確認と同じタイミングで提示してもらえばよいですが、「自己負担上限額管理票」は受付時に毎回必ず提出してもらう必要があるのであらかじめ最初に伝えておきましょう（毎回記入が必須です）。

②患者情報登録時、難病の公費入力も行う

患者情報登録時には、下記を忘れずに反映するよう注意してください。

● 公費番号、受給者番号の入力
● 自己負担上限額の金額入力
● 適用区分

図1-14 レセプトの記載例

③お会計

当日の診療がすべて指定難病からによるものであれば、すべて2割の負担（後期高齢者は1割）になります。しかし、指定難病に起因しない診療内容分がある場合は、会計負担割合を別にしなければなりません〔難病分は2割（または1割）、難病以外の部分は保険証の負担額に応じた分〕。

院内処方で勤め先のクリニックでしか取り扱いしない場合は限度額まで徴収しますが、院外の場合は薬局分と合算の限度額になります。

④預かった「自己負担上限額管理票」（図1-13）に自己負担額を記載する

この制度で診療した自己負担額を1か月ごとに合算して管理するため、毎回の受付提示と医療機関側の記載が必要です。p.49の図1-15で記入例を確認しましょう。

特に院外処方の場合、薬局で支払った分も一緒に合算となるため、勤め先のクリニックで

も把握しておかないと、月額自己負担上限額に正しく反映されず、患者さん本人から余分に徴収してしまったり、誤った金額を保険請求してしまうことになるので注意が必要です。

⑤請求方法

保険請求と公費併用をする扱いになります。請求先は下記の通りです。

● 社会保険併用分　➡　支払基金
● 国民健康保険・後期高齢者併用分　➡　国保連合

 指定難病で生活保護を受けている場合、どうすればよいのでしょうか？

 いい質問ね。さすが経験者。以下で説明します

　生活保護の人が受けた診療すべてが指定難病扱いになる場合は、全額指定難病の負担になります。つまり、併用扱いではなく、指定難病単独になります。しかし、診療内容に指定難病以外の疾病に対する治療があった場合は、指定難病外の部分が生活保護の給付となるため、指定難病と生活保護の併用扱いとして支払基金に請求します。この場合、第1公費が法別番号54、第2公費が法別番号12になります。

これだけ！
アドバイス

● 指定医療機関と指定医

どちらも医療機関単位で申請が必要です。申請していない保険医療機関の場合、診療することはできますが、受給者証を取り扱っての保険請求はできません。したがって窓口では保険証の負担率での請求となりますので、必ず診療前に患者さんへの説明と了承が必要です。

・指定医……公費申請（新規・継続）の際に必要になる「臨床調査個人票（診断書）」を作成する医師

・指定医療機関……特定医療費受給者証を取り扱って、公費扱いで診療することができる保険医療機関

図1-15 法別番号 54 の「自己負担上限額管理票」の記入例

○年○月分　自己負担上限額管理票

受診者		受給者番号	

月間自己負担上限額　　　5,000 円

下記のとおり月間自己負担上限に達しました。

この枠内は、下の表の「自己負担額累積額」欄が、「月額自己負担上限額」に達したときの医療機関が記入します

日　付	医療機関名	確認印
●月 15 日	○○クリニック	○○クリニック

日付	医療機関名	医療費総額（10 割分）	自己負担額	月間自己負担額累積額	確認印	備考
●月　1 日	○○クリニック	￥9,000	￥1,800	￥1,800	○○クリニック	障
●月　1 日	○○薬局	￥2,000	￥400	￥2,200	薬局	障
●月 15 日	○○クリニック	￥16,000	￥2,800	￥5,000	○○クリニック	障
●月 15 日	○○クリニック	￥3,000				
月　　日						
月　　日						
月　　日						
月　　日						
月　　日						
月　　日						
月　　日						

上限金額を書きます

難病（法別番号 52、54）だけ、この欄があります。「受給者証」に記載されている疾病に限ることに注意！

備考欄に 0 割になる他制度の適応をこのように書きます

上限額に達したあとも 10 割分は記入するのが望ましいです（記入することによって来年度の自己負担額が変更される可能性があるため）

16,000 円の 2 割で 3,200 ですが、上限額（5,000 円）までの請求であるため、5,000 円−2,200 円＝ 2,800 円を記載します（差額の 400 円は公費負担）

3 問診票への記入依頼

 1 問診票に記入してもらう前に問診する理由

「問診票記入前の問診」後、勤め先のクリニックで患者さんが受診することになった場合、初めて問診票を渡し「こちらにご記入をお願いします」という流れになりますが、保険医療機関によっては、p.5 フローチャートの②を飛ばして問診票を先に書いてもらってから主訴（しゅそ）を確認するところもあります。

「それはダメだ」とはいいませんが、患者さんの立場からすると、問診票を渡された時点ですでに診療してもらえるものと思うはずです。せっかく問診票を最後まで書いたのに、それから内容を見て「当院では受診できない」といわれると、不満に思われてもしかたありません。

やはりおおまかにでも先に来院理由を聞くことをオススメします。

2 問診票に記入してもらうこと

問診票は、クリニックによって（先生の専門によって）聞きたい内容が異なりますが、一般的には下記のようなことを記入してもらいます。

- いつから・どんな症状か？
- 他院の通院の有無（あれば今通院している病気の把握）
- 通院中であれば、お薬手帳の有無と、現在服用している薬の内容の確認
- 既往歴
- アレルギーの有無
- 飲酒や喫煙の有無（量や本数）
- 女性の場合は妊娠中（またはその可能性があるか）または授乳中であるか
- 介護保険の有無

※医療情報取得加算（➡ p.103）を算定する医療機関では、「標準的な問診票」（別紙様式 54）を参考とした問診票を用いて初診時の問診を行うことが求められます。

3　診察室に問診票を回す前にやるべきこと

　診察時の手間を省くためにも、下記の項目を確認したうえで、診察室に回すようにしてください。

　　・記入漏れがないか？（個人情報も含めて）
　　・内容が明確に書かれているか

　加えて、他院で処方された服用中の薬がある場合は下記3点も忘れずに行ってください。
※電子カルテ等運用のクリニックで患者さんがマイナ保険証にて薬剤情報の提供に同意されている場合、この作業は不要になることがあります

　　① お薬手帳を預かる
　　② お薬手帳をコピーまたはスキャンする
　　③ 診察時、お薬手帳の内容を先生に確認してもらう

これだけ！
アドバイス

● たまにはスタッフ全員で問診票について意見交換を！

問診票は、診察への橋渡し役として非常に重要なものです。問診票のクオリティが普段の診療・問診をスムーズにし、クリニックの質を高めることにつながるといっても過言ではありません。

そこで、時間に余裕があるときなどに全員で問診票を見直して、意見を出し合うことをオススメします。

きっと、「この項目があったほうがわかりやすい！（確認しやすい）」あるいは「この項目はまったく必要ない」などといった発見があると思います。とことんブラッシュアップして、全員の知恵を集めた傑作をつくりあげてください。

4 患者情報の登録

1 患者登録のイメージ

　初診時に患者さんの基本情報を登録することを、「頭書登録」や「患者登録」といいます。

　患者登録は、コンピュータの専用ソフトにデータを入力して行います（図1-16）。各保険医療機関で扱っている専用ソフトによって画面やレイアウトは異なりますが、入力する内容・項目はどこも同じです。ただ、専用ソフトによって入力ルールが異なりますので、各ソフトのマニュアルで確認してください。

図1-16　患者登録の入力イメージ

2 入力する内容

・新患登録で、健康保険証や資格確認書持参にて受付する場合は以下の内容を間違えずに慎重に入力しましょう。住所・電話番号は問診票で確認して入力します。（入力の操作方法は各医療機関で確認）

・マイナ保険証で受付する場合は、自動的に情報が入るため、以下④以外の内容が間違っていないか問診票等をもとに確認し、誤りがある場合は手入力で変更します。（受給者証の情報が入らない電子カルテ等は、手入力で追加することになります。）（操作方法は各医療機関で確認）

① 氏名・フリガナ
② 性別
③ 生年月日
④ 保険情報〔保険者番号・記号番号・枝番（あるものに限る）・資格取得日・有効期限（あるものに限る）・本人／家族〕
⑤ 保険証以外の受給者証がある場合はその番号等の情報
⑥ 住所・電話番号

電子レセプトで変換入力できない漢字の氏名があるんですけど…

外国の方のお名前でよくありますよね

大丈夫、電子レセプトの場合は漢字やひらがなをカタカナにして請求できるわよ

ローマ字や英字もカタカナで大丈夫なんですか？

ええ、漢字やひらがなと同じでカタカナで請求できるわ

そうなんですね。よかった〜

登録内容の情報が1つでも間違えていると返戻（へんれい）対象となり、レセプトが戻ってきます。下記のようなミスがよくみられます。
・保険証番号の入力誤り（健康保険証や資格確認書での登録の場合）
・受給者証番号の入力誤り
・生年月日の誤り
・男女の誤り
・保険証本人・家族の誤り
・負担区分の誤り
・負担割合の誤り（1割 or 3割）

基本的かつ非常に重要な作業ですので、慣れるまではとにかく落ち着いて、しっかりと健康保険証や資格確認書、問診票等と見比べながら正確な登録を心がけてください。

5 カルテの作成

1 紙カルテを作るか否か

　患者さんの保険資格を確認して、問診票を書いてもらったら、いよいよ診察のためのカルテ（診療録）作成に入ります。
　患者情報の登録の仕方と同様に、カルテの作り方も保険医療機関によって異なります。
　下記のように電子カルテとレセプトコンピュータのどちらかを使っているかによって、紙カルテを作るかどうかは違ってきます。

　　・電子カルテの場合は、紙カルテを作らない
　　・レセプトコンピュータの場合は、紙カルテを作る

2 電子カルテの場合

　電子カルテを導入している保険医療機関は、基本的には紙カルテは作りません。画面上の入力・登録のみで行い、完了したらカルテ情報を「飛ばす」形になります。新患の場合、患者情報を登録したら、診察室の電子カルテに情報が上がります。先生は患者さんの診察中や診察後に診療内容や処方内容を電子カルテの画面に直接入力します。再来の患者さんは、すでにある診察券の番号を入力して電子カルテの情報を呼び出します。

注意点

　新患の患者さんの場合は、最初に患者情報を入力した際、内容を間違って入力していないかを十分に確認しましょう。オンライン資格確認の場合は自動で取得されますが、その情報が間違っていないか問診票等で確認しましょう。下記のような基本的な間違いが目立ちます。単純な間違いばかりですが、新患の患者さんが多くて慌てて登録するときや、逆に環境に慣れてきたときに起こりやすいです。

- ・名前のフリガナ間違い（フリガナを間違えて、診察時名前を呼び間違える）
- ・患者さんの名前の漢字を入力時に選び間違える（のちの診察券発行も間違えることになります）
- ・生年月日の間違い（数字だけでなく、昭和・平成など入力時に選び間違える）

3 レセプトコンピュータの場合

　レセプトコンピュータ（レセコン）を導入している保険医療機関は、紙カルテを作成するケースがほとんどです。診察室に持っていくカルテの作成と、レセプトコンピュータへの患者情報の入力を同時に行わなければなりませんので、紙カルテを作らないところよりは、少し時間がかかります。

　また、紙カルテに先生が書いた診療内容をレセプトコンピュータに入力しなければ会計書が発行できないため、こちらも電子カルテの会計より時間がかかります。

　結果、紙カルテでレセプトコンピュータに入力する保険医療機関で働く場合は、電子カル

テより大変な部分があります。ただ、逆に考えれば、いろいろ理解していないと会計書発行までできないということです。電子カルテを導入している保険医療機関よりも自分のスキルアップにつながる環境であるとむしろ前向きにとらえて積極的に取り組んでください。

　また、紙カルテの作成に関しては、保険医療機関ごとのこだわりやルールがあるので、勤め先のクリニックのカルテの作成手順に従ってください。

6　診察券の発行

1　診察券の形式はさまざま

　診察券の体裁は、保険医療機関によって異なります。カードタイプで、専用機械に入れて印字するタイプのものや、紙タイプで手書きの場合もあります。

　そのほか、マイナンバーカードを診察券として利用するクリニックもあります。

2　もし誤った情報で診察券を発行してしまったら…

　印字タイプは、患者登録した名前が印字されるため、漢字や生年月日を間違えて入力すると、診察券に反映されます。もし、会計時など発行後に入力誤りに気付いたら、患者情報の修正と同時に診察券も発行し直しましょう。

　受付業務は診察券を発行したところで一通り完了よ

　私にとっては、やはり保険が鬼門です。私の知らない新制度が…

　保険……長いし複雑だし、なんだか頭がクラクラしてきました…

　たしかに難しいけど、日常業務をこなすうちにだんだん慣れてくるわよ

　それはほんとにそうですね

　少し勇気が湧いてきました

電子カルテ情報共有サービス

医療 DX 政策[1]の一環として、厚労省が電子カルテ情報の標準化並びに共有化を進めるために「オンライン資格確認」や「電子処方箋」の次に位置付けた政策で2025（令和 7）年 4 月から運用を開始する予定としています。この仕組みで提供するサービスは、主に、

① 文書情報を医療機関等が電子上で送受信できるサービス[2]

② 全国の医療機関・薬局で患者の電子カルテ情報を閲覧できるサービス[3]

③ 患者本人等が自身の電子カルテ情報を閲覧できるサービス[3]

とし、「情報共有・交換する仕組みを構築する」ことを目的としています。

サービス開始当初は 3 文書[2] 6 情報[3] が閲覧可能となり、その後適宜カルテ情報のコード化（閲覧の拡大）を進めていく予定としています。

また、医療機関や薬局だけでなく自治体や介護事業者等も情報を共有・交換できる仕組みを構築しています（全国医療情報プラットフォーム）。

2024 年度診療報酬改定では、今回新設された「医療DX推進体制整備加算」（➡ p.103）の施設基準として 2025 年 9 月までに参加することが条件となっています。また、生活習慣病管理料における「療養計画書」についても、電子カルテ情報共有サービスの患者サマリーに登録することで、文書の発行を省略することが可能となります。

※ 1：保健・医療・介護の各段階（疾病の発症予防、受診、診察・治療・薬剤処方、診断書等の作成、診療報酬の請求、医療介護の連携によるケア、地域医療連携、研究開発など）において発生する情報やデータを全体最適された基盤（クラウドなど）を通して、保健・医療や介護関係者の業務やシステム、データ保存の外部化・共通化・標準化を図り、国民自身の予防を促進し、より良質な医療やケアを受けられるように社会や生活の形を変えていくこと

※ 2：3 文書とは、健診結果報告書、診療情報提供書、退院時サマリーのこと

※ 3：6 情報とは、傷病名、アレルギー情報、感染症情報、薬剤禁忌情報、検査情報、処方情報のこと

2 | 健康保険給付外の受付

健康保険の給付対象とならないもの

 健康保険の給付対象にならないものもあるんですね

 身近なものだと健康診断は健康保険給付外になるわね

 確か労災保険が適用される通勤途中の事故なども健康保険給付外ですよね

 病気の治療であっても、すべての治療に保険が使えるとは限りません

　健康保険給付外とは、健康保険で扱えない（給付外）もののことです。医療に直接関わらないものや、保険適用でない薬や検査、治療は健康保険給付対象にはなりません。

　主な給付外の例を表1-6にまとめました。

表1-6　主な給付外の例

業務上の疾病（業務災害）	業務上の病気やケガ・通勤途中の事故が原因の病気やケガは労災保険（➡ p.81）適用により、健康保険での受診はできない
自賠責（交通事故）	交通事故による疾病またはケガは自賠責保険で取り扱う（ただし、第三者行為による場合、保険者と保険会社に承諾を受けた場合に限り、保険診療を行うことができる）（➡ p.85）
健康診断	治療目的でない、単なる健康診断（➡ p.65）は保険適用外となる
予防接種	病気でなく、予防のためのものは保険適用外（ただし、年齢等により公費制度で受けられるものがある）（➡ p.69）
美容医療	単なる美容整形を目的としたものは認められない
正常な妊娠・出産	妊娠中毒症・異常出産など、治療を要するもの以外は認められない
経済上の理由による妊娠中絶	自らの理由によるものは認められない
故意の犯罪行為または故意の事故によって保険給付を受けようとしたとき	不正による保険給付は適用外
刑務所や少年院にいるとき	収容中の医療行為は保険適用外

表1-6に挙げた内容以外では、下記のものも給付外になります。診療内容によって、何が保険適用で何が保険適用外なのかを見きわめる必要があります。

- ● 特定健康診査・特定保健指導
- ● 保険適用外の診断書発行（有償交付、無償交付）（➡ p.68）
- ● 薬の容器代、おむつ代、喘息およびアレルギー性鼻炎の小型吸入器など実費徴収が認められるもの

 健康保険給付外の扱いに該当する場合は、診療を行う前に患者さんに説明しないといけないんですよね

 受付の問診できちんと聞かないとですね。でも、今のままじゃ不安です…

 それじゃ、1つ1つ見ていきましょう！

特定健康診査・特定保健指導

1 特定健康診査・特定保健指導の目的

　日本人の生活習慣の変化等により、近年、糖尿病や高血圧症等の生活習慣病における有病者・予備群が年々増加しており、生活習慣病は、日本人の死亡原因の約6割を占めています。
　特定健康診査・特定保健指導とは、この現状を少しでも解消するべく2008年4月から始まった制度です。40〜74歳を対象に、メタボリックシンドロームに着目した健診とそれに伴った生活習慣改善指導を行います。

2 特定健康診査とは

特定健康診査（特定健診）は、メタボリックシンドローム（内臓脂肪症候群）に着目した健診で、表 1-7 の項目を実施します。なお、検査項目は保険者によって異なります。

表1-7 特定健康診査で実施する項目

基本的な項目	・質問票（服薬歴、喫煙歴等）　・身体計測（身長、体重、BMI、腹囲） ・血圧測定　・問診、診察　・検尿（尿糖、尿蛋白） ・血液検査 　・脂質検査（中性脂肪、HDL コレステロール、LDL コレステロール） 　・血糖検査（空腹時血糖または HbA1c） 　・肝機能検査（GOT、GPT、γ-GTP）
詳細な健診の項目	・心電図　・眼底検査　・貧血検査（赤血球数、血色素量、ヘマトクリット値） ・血清クレアチニン検査 ※一定の基準の下、医師が必要と認めた場合に実施

3 特定保健指導とは

特定健康診査の結果から、生活習慣病の発症リスクが高く、生活習慣の改善による生活習慣病の予防効果が期待できる患者さんに保健師や管理栄養士等による専門スタッフが、生活習慣を見直すサポートをします。

特定保健指導は、リスクの度合いによって、動機付け支援と積極的支援に分かれます（図1-17）。

- **動機付け支援**…個別面接またはグループ支援を原則 I 回行い、対象者が自らの生活習慣を振り返り行動目標を立て行動に移し、その生活が継続できることを目指した支援
- **積極的支援**……動機付け支援に加え、3 か月以上の定期的・継続的な支援（電話・e メール・ファックス・手紙等を利用）を行い、対象者が自らの生活習慣を振り返り行動目標を立て行動に移し、その生活が継続できることを目指した支援

図1-17 特定保健指導の流れ

動機付け支援	積極的支援
初回面接：個別面接20分以上、または8名以下のグループ面接で80分以上 専門的な知識・技術をもった者（医師・保健師・管理栄養士等）が、対象者に合わせた実践的なアドバイス等を行う	

自身で、「行動目標」に沿って、生活習慣改善を実践

面接・電話・eメール・ファックス・手紙等を用いて、生活習慣の改善を応援（約3か月以上）

実績評価：面接・電話・eメール等で健康状態・生活習慣（改善状況）を確認（6か月後）

リスクが高い患者さんには積極的支援を行うわけですね

勤め先のクリニックが保健指導を行っている保険医療機関かを確認しておきましょう

対象者

　特定健康診査は、実施年度において40〜74歳となる医療保険の加入者（毎年度4月1日現在で加入している者）が対象です。

　75歳以上は、各都道府県に設置されている「後期高齢者医療広域連合」が健診を実施します（制度の内容が異なります）。

途中で保険が変更になった場合、健診を受けられないことがあるので注意が必要です

受付

　対象者には、医療保険者から受診券（保健指導は「利用券」）や受診案内が郵送や手渡し等で届きます。届き次第、受診券（利用券）とマイナ保険証または健康保険証をもって来院し、検査等を行います。

 保険医療機関のほとんどが予約制にしていますよね

 そうね。検査当日は必ず受診券と保険証を提示していただきます

 受診券と保険証の記号・番号が一致してない場合、受けられない場合があるんですよね…

 うわ、気まずい…

必ず受診券の内容を確認すること！

費用

　費用は主に医療保険者が負担しますが、医療保険者によっては、費用の一部を自己負担として、受診者が受けるときに実施保険医療機関の窓口で支払うこともあります。

　自己負担の有無や金額は、医療保険者で異なりますが、負担金がある場合の具体的な金額等は受診券（利用券）に印字されています。

結果

　特定健康診査を受けた約１～２か月後に、保険医療機関に結果が届きます。結果を伝える方法は保険医療機関によって異なります。なお、健診結果データは医療保険者にも送付されます。受診者がマイナンバーカードの保険証利用登録を行っていれば、約３か月後からマイナポータルでも健診結果を見ることができます。

　医療保険者では、受け取った健診結果データから、特定保健指導の対象者を抽出し利用券などを案内することになります。

4　生活保護・中国残留邦人の健康診査

　生活保護・中国残留邦人の患者さんには受診券は送られてきません。健康診査を受けたい場合は、患者さん自らが市区町村の担当課へ申し込みに行く必要があります。

保険医療機関受診時の対応

　診察を受けるには、下記のいずれかが必要です。書類を確認できないまま健康診査を行い、後日資格がなかったことが判明しても委託料が支払われませんので、十分に注意してください。

- 保護受給証明書（または受診券）の原本（医療券は不可）
- 介護保険料納入通知書・介護保険料額決定通知書・特別徴収額決定通知書等の写し（保険料段階「第一段階」のもの）
- 中国残留邦人等支援給付受給者証の写し

※

※市区町村によって、多少の相違がありますので確認してください

請求の提出

　請求の提出先等は下記の通りです。

- 提出先：役所の担当課
- 提出期限：実施月の翌月 10 日
- 必要書類：実施報告票（上の※のいずれかと）

5 **がん検診**

　特定健診と一緒に行うことが多い健診です（表1-8）。市区町村からの公費として一部負担（年齢によっては全額公費）で行えますが、金額は市区町村によって異なります。

　なお、市区町村以外で加入する健康保険組合等でもがん検診を実施している場合があります。

表1-8 指針で定めるがん検診の内容

種類	検査項目	対象者	受診間隔
胃がん検診	問診に加え、胃部X線検査または胃内視鏡検査のいずれか	50歳以上 ※当分の間、胃部X線検査については40歳以上に対し実施可	2年に1回 ※当分の間、胃部X線検査については年1回実施可
子宮頸がん検診	問診、視診、子宮頸部の細胞診および内診	20歳以上	2年に1回
肺がん検診	質問（問診）、胸部X線検査および喀痰細胞診	40歳以上	年1回
乳がん検診	問診および乳房X線検査（マンモグラフィ） ※視診、触診は推奨しない	40歳以上	2年に1回
大腸がん検診	問診および便潜血検査	40歳以上	年1回

対象者、受診間隔も市区町村によって異なります。勤め先のクリニックのある市区町村の制度を確認しましょう

また、がん検診以外の項目も市区町村によって独自で行っていますので、勤め先のクリニックのある市区町村の制度を確認しましょう

健康診断

p.59 の特定健康診査とはまったく目的が異なるものに健康診断があります。

よくあるのが、会社入社前に提出するためのもの、学校に提出するものまたは何かの資格（試験）をとる（受ける）ために行うものなどです。定期健診以外の検査もそうです。

この項で説明する健康診断はほとんど診断書が必要であるため、何の検査を必要としているのか、そしてその検査項目すべてが勤め先のクリニックで行えるかについて、予約を受ける前に事前の確認が必須です。また、検査に係る費用は自費扱いになります。

確認の流れ

予約は患者さん本人が直接窓口を訪れて行うこともありますが、多いのは電話でのお問い合わせです。電話でもしっかりと要件を確認できるよう、以下（①〜⑩）の流れを頭に叩き込みましょう（特に初診の場合）。

①勤め先のクリニックにかかったことがある患者さんか？　初診か？

フルネーム、生年月日も確認します。

勤め先のクリニックの手順と料金をあらかじめ確認しておきましょう

②いつまでに提出したいのか？

血液検査は結果に数日かかるので、内容によってはすぐに作成できないことに注意が必要です（提出を急いでいる場合があります）。

③何の検査を希望するのか？

勤め先のクリニックですべて行える検査かを確認する。

行えないものがある場合は、理由を伝えてお断りすることになります

④指定の診断書の用紙をもっているか？

なければ、勤め先のクリニックの用紙を使います。

⑤料金の提示

　勤め先のクリニックの料金表をもとに、いくらかかるのかを伝えます。

⑥ ①〜⑤までの要件を満たしていれば、検査来院日の予約をとる

必ず、連絡先を
聞くこと

⑦当日の検査にあたっての注意事項を伝える（予約完了）

最近受診歴のある患者さんはよ
いですが、初めて検査で来院さ
れる場合や久しぶりの患者さんは、
本人確認も含めて、当日は保険証も
持参してもらいましょう

⑧当日来院・検査

　料金はなるべく前払いのほうがよいでしょう。

⑨診断書完成、連絡

⑩患者さん本人にお渡し

検査の内容によっては、
当日に記載して
お渡しできる場合も
あります

よし♪

健康診断
検査結果

図1-18 健康診断証明書のイメージ

健康診断証明書

氏名			生年月日			年　月　日
住所						
身長		cm	視力	右 （　　　）左 （　　　）		
体重		kg	色覚			
聴力	右 1000Hz（　　dB）4000Hz（　　dB）		血圧	最高 mmHg	最低 mmHg	
	左 1000Hz（　　dB）4000Hz（　　dB）					
尿検査（定性）	タンパク		聴打診			
	糖					
	ウロビリノーゲン		胸部X-P	異常なし		
	潜血			経過観察		
				要精検		
血液検査	白血球					
	赤血球					
	血色素		心電図	異常なし		
	ヘマトクリット			経過観察		
	AST(GOT)			要精検		
	ALT(GPT)					
	γ-GPT		その他	既往歴：		
	LDLコレステロール			業務歴：		
	HDLコレステロール			自覚症状：		
	T-CHO			他覚症状：		
	トリグリセライド			腹囲：		
	血糖					

上記の結果　□ ① 異常なし
　　　　　　□ ② 経過観察が必要
　　　　　　□ ③ 要精査
　　　　　　□ ④ 要治療　　　　と認めます。

医師

66

診断書等の交付

1 診断書の種類

　診断書は、患者さんの状況によってさまざまな形式のものがあります。

　また、形式だけでなく、①有償交付、②無償交付、③保険請求の3パターンに分かれるため、間違いのない処理ができるよう、確認しておく必要があります。

　　①**有償交付**……各保険医療機関で定められた金額を徴収することが可能（一般の
　　　　　　　　　診断書、生命保険等に必要な診断書等の作成代等）

　　②**無償交付**……無償で交付しなければならないもの（生活保護の医療要否意見書、
　　　　　　　　　「医療等の状況」等）

　　③**保険請求**……保険請求できるもの（本人には保険負担率分を請求し、残りは保
　　　　　　　　　険者に請求する）（傷病手当金意見書、はり、きゅうおよびあん
　　　　　　　　　摩マッサージ指圧の施術に係る同意書等）

2 診断書等の書類を預かる際の注意点

　診断書等の書類を預かる前には、「勤め先のクリニックで証明できるものであるか」を必ず確認し、患者さんに「金額が発生するか否か（発生するならいくらか）」と「所要日数はどれくらいか」を伝えます。

　書類は、でき次第速やかに患者さんに連絡し、取りに来てもらってください。

トラブルを回避するためにも、
①患者さんの了承を得る
➡②書類を預かるという手順を
徹底してください

3 意見書・文書料の費用の請求方法

　請求方法は、文書の種類によって異なります。表1-9にまとめましたので、活用してください。

表1-9 **意見書・文書の種類と費用請求方法**

	意見書・文書の種類	費用請求方法等
有償交付	健康保険法、国民健康保険法に基づく「出産育児一時金証明書」、「出産手当証明書」	患者から自費徴収できる
	介護保険の施設系サービス・グループホーム・特定施設利用前の健康診断書	施設が利用者に健康診断書を求める場合、保険医療機関は求められた診断書料を患者から自費徴収できる
	小児慢性特定疾病医療申請のための意見書	患者から自費徴収できる
	身体障害者手帳交付申請手続きのための診断書	
	自立支援医療（精神通院）の公費負担申請手続のための診断書	患者から自費徴収できる（生活保護法の被保護者の場合は、福祉事務所宛に請求する）
	難病医療助成制度の申請手続のための臨床調査個人票（診断書）	患者から自費徴収できる
	特定疾患治療研究事業の公費負担申請の臨床調査個人票、意見書、診断書	
	肝炎治療特別促進事業によるB型・C型肝炎に係る医療費助成を受けるための診断書	
	職業安定所等に提出する就業可能証明書	
	児童の食物アレルギーに関する医師の意見書	
	おむつ支給（市区町村実施）申請のための証明書	
	就労可能診断書（職業安定所に提出）	
	診療録の開示手数料	
無償交付	生活保護の医療要否意見書	生活保護法により、無償で交付しなければならない
	療養費の支給申請のための領収明細書	治療用装具や立替払い等を証明する領収証明書
	日本スポーツ振興センターへ提出する「医療等の状況」	日本医師会からの協力依頼により無償で提供することとなっている
	原爆被爆者対策による健康管理手当申請のための診断書	患者から自費徴収できない
保険請求	傷病手当金意見書	保険診療の「傷病手当金意見書交付料」（交付1回につき100点）として算定する（➡ p.135）
	はり、きゅうおよびあん摩マッサージ指圧の施術にかかる同意書または診断書	保険診療の「療養費同意書交付料」（交付1回につき100点）として算定する（➡ p.137）

予防接種

1 予防接種の種類

　予防接種とは、病気に対する免疫をつけたり、強くするために接種するワクチンのことをいいます。

　予防接種には下記の2種類があります。

- 定期接種……法律に基づいて市区町村が主体となって実施
- 任意接種……希望者のみが受ける

定期接種

定期接種の対象になるのはA類疾病とB類疾病です。

- A類疾病……誰もが予防接種を受けるべき疾病。対象者が現在お住まいの市区町村で受ける場合、公費で接種できる。ただし、期間は決まっているので注意が必要。なお、市区町村が実施する補助内容の詳細は、市区町村によって異なる
- B類疾病……強制ではないものの接種が推奨される疾病。期間内に希望すれば公費または費用の一部が公費扱いになる

任意接種

任意接種の対象になる主なワクチンは、下記の通りです。

- A型肝炎、破傷風トキソイド（定期接種以外の小児、成人）、髄膜炎菌、黄熱、狂犬病、ポリオ（海外渡航時）、季節性インフルエンザ、おたふくかぜ、帯状疱疹（50歳以上）

任意接種の接種例として主なものには、下記のようなものがあります。

- 個人が感染症にかかったり重症になるのを防ぐために受ける予防接種
- 海外渡航の際に、渡航先によって、接種することが望ましい予防接種（渡航外来等の保険医療機関で接種）
- 定期接種を受けそびれたり、受ける機会がなかった人が、対象年齢以外で受ける予防接種
- 免疫の弱い人に接する機会がある人などが、周囲の感染を防ぐために受ける予防接種

2 生ワクチンと不活化ワクチン

ワクチンは、感染の原因となるウイルスや細菌をもとにつくられています。
成分の違いから、大きくは「生ワクチン」「不活化ワクチン」に分けられます。

- 生ワクチン……毒性を弱められたウイルスや細菌が体内で増殖して免疫を高めていくので、接種の回数は少なくて済む。十分な免疫ができるまでに約1か月は必要。生ワクチンには、注射生ワクチンと経口生ワクチンの2種類がある
- 不活化ワクチン……自然感染や生ワクチンに比べて生み出される免疫力が弱いため、1回の接種では十分ではなく、何回かの追加接種が必要になる。接種回数はワクチンによって異なる

3 別種のワクチンを接種する場合の接種間隔

　混合されていない二種以上のワクチンを別々に接種する場合には、通常注射生ワクチンを接種後に他の注射生ワクチンを接種する場合は、27日以上の間隔をおかなければなりません。不活化ワクチンや経口生ワクチンを接種する場合は、接種間隔の制限はありません。

● **先に注射生ワクチンを接種した場合**

別の種類のワクチン

注射生ワクチン
BCG、MR、水痘、おたふくかぜ など

→ 27日以上あ ける → 注射生ワクチン

→ 接種間隔の制限なし → 経口生ワクチン / 不活化ワクチン

● **先に経口生ワクチン、不活化ワクチンを接種した場合**

経口生ワクチン
ロタウイルス など

不活化ワクチン
Hib ヒブ、小児用肺炎球菌、B型肝炎、五種混合、三種混合、二種混合、日本脳炎、HPV、インフルエンザ　など

→ 接種間隔の制限なし →

別の種類のワクチン

注射生ワクチン

経口生ワクチン

不活化ワクチン

 医師が必要と認めた場合、複数のワクチンを同時に接種することができます

乳幼児のワクチンは予約を取っていても、熱などで当日打てなくなり、その後のスケジュールすべてが変更になる場合もありますので、クリニック側もその後のスケジュールを確認しておく必要があります

また、同じ種類のワクチン接種を複数回受ける場合は、ワクチンごとに決められた接種間隔を守る必要があります

4 予防接種のスケジュール

予防接種スケジュールは疾病ごとに異なります。以下、A類疾病とB類疾病に分けて紹介します（表1-10～1-12）。

A類疾病の予防接種スケジュール

表1-10 予防接種スケジュール（乳幼児）

		出生時	2か月	3か月	6か月	9か月	1歳	2歳	3歳	4歳	5歳	6歳	7歳	8歳	備考
定期接種	BCG	生			■										
	Hib（インフルエンザ菌b型）	不	↓↓↓（初回接種）			↓（追加接種）									生後2か月になったら、できるだけ早く開始
	小児用肺炎球菌（PCV13、PCV15）	不	↓↓↓（初回接種）			↓（追加接種）									生後2か月になったら、できるだけ早く開始。追加接種は1歳を過ぎてから行う
	B型肝炎	不	↓↓　　↓												母子感染予防として、出産直後にB型肝炎ワクチンの接種を受けた者は対象外
	五種混合*（DPT-IPV-Hib）四種混合（DPT-IPV）三種混合・ポリオ*ジフテリア・百日せき・破傷風・不活化ポリオ・ヒブ感染症	不	↓↓↓（初回接種）			↓（追加接種）									生後2か月になったら、できるだけ早く開始（五種混合）
	麻しん・風しん（MR）第1期、第2期	生					↓（1期）				↓（2期）				・1期：1歳になったら接種・2期：年長児相当の学年になったら接種
	水痘（みずぼうそう）	生					↓↓								1歳になったら、できるだけ早く接種
	日本脳炎第1期	不			（初回接種）				↓↓↓		（追加接種）				原則として、3歳になってから接種を開始
	ロタウイルス	生	↓↓（1価）												生後6週から接種でき、4週間隔で2回または3回接種
			↓↓↓（5価）												

生：生ワクチン　不：不活化ワクチン　　　　　　　　　※市区町村によって異なる場合があります

表1-11 予防接種スケジュール（乳幼児以外）

		9歳 10歳 11歳 12歳 13歳 14歳 15歳 16歳 17歳 18歳 19歳 20歳 30歳 40歳 50歳 60歳	備考
定期接種	風疹		1962年4月2日〜1979年4月1日生まれの男性でHI抗体価が8倍以下相当の者。原則、MRワクチンを使用する。クーポン券使用時はMRワクチンのみ
	日本脳炎 第2期		第1期を接種した者に対して、9歳に達した時から第2期の接種を開始する
	二種混合（DT）第2期		DPT-IPVを接種した者に対して、11歳に達した時から第2期としてジフテリア破傷風ワクチン（DT）を接種する
	HPV（ヒトパピローマウイルス） 2価 / 4価 / 9価		2013年6月から積極的な勧奨は差し控えられたが、2021年11月に改めて安全性が確認され、2022年4月から積極的勧奨を再開。2023年4月から9価ワクチンが追加された

図1-19 五種混合の接種例

【標準：初回の開始は生後2か月以上7か月未満】

生後2か月以上 → 初回（1回目）→ 初回（2回目）→ 初回（3回目）→ 追加 → 7歳6か月未満

20日以上　20日以上　　6か月以上

【標準：20〜56日】　【標準：初回3回終了後、6か月以上18か月未満】

いずれも1回に0.5mLを皮下または筋肉内に接種

※初回の2回目および3回目は1歳未満までに終了させる

B 類疾病の予防接種スケジュール

表1-12 B 類疾病（インフルエンザ・新型コロナ・肺炎球菌）の予防接種スケジュール

		60歳	65歳	70歳	75歳	80歳	85歳	90歳	95歳	100歳	〜	備考
定期接種（B 類疾病）	インフルエンザ		▬	▬▬▬▬▬▬▬▬▬▬▬▬▬▬▬▬▬▬（毎年 1 回）▬▬▬▬▬▬▬▬▬▬▬▬▬▬▬▬▬								65 歳以上および、60 歳以上 65 歳未満で一定の心臓、腎臓もしくは呼吸器の機能またはヒト免疫不全ウイルスによる免疫の機能の障害を有する者が対象
	新型コロナ		▬	▬▬▬▬▬▬▬▬▬▬▬▬▬▬▬▬▬▬（毎年 1 回）▬▬▬▬▬▬▬▬▬▬▬▬▬▬▬▬▬								65 歳以上および、60 歳以上 65 歳未満で一定の心臓、腎臓もしくは呼吸器の機能またはヒト免疫不全ウイルスによる免疫の機能の障害を有する者が対象
	肺炎球菌（23 価肺炎球菌莢膜ポリサッカライド）		▬	▎								当該年度に 65 歳になる者および、60 歳以上 65 歳未満で心臓、腎臓もしくは呼吸器の機能またはヒト免疫不全ウイルスによる免疫の機能の障害を有する者が対象

5 定期接種と任意接種を受け付ける際の注意点

　定期接種ワクチンの接種を受け付ける際は、公費扱いになるので患者さんに指定の問診表に記入してもらう必要があります。

　一方、任意接種ワクチンは公費扱いではなく、ほとんどが自費徴収になります。そのため、公費扱いにならない問診票はどの規格のものを使ってもかまいません。

注意点

　定期接種で全額公費になるものと一部補助のもの、任意接種で公費扱いになるものと、全額自己負担になるものがあります。特に全額自己負担のワクチンは、保険医療機関によって金額が異なるため、勤め先のクリニックの金額をあらかじめ確認しておきましょう。

　また、里帰りや、やむを得ない事情で、別の市区町村に居住の患者さんが公費で接種を希望する場合は、必ず接種前（予約前）に、お住まいの市区町村の役所に相談してもらってください（容易に受け付けると、公費で請求できない場合があります）。また、すべての保険医療機関が全種類の予防接種を取り扱っているわけではないため、勤め先のクリニックはどのワクチンを取り扱っているか確認してください。

これだけ！
アドバイス

● 五種混合ワクチンの定期接種化

2024（令和6）年4月1日より五種混合ワクチンが定期接種となりました。これまで四種混合ワクチン（DPT-IPV：ジフテリア・百日せき・破傷風・ポリオ）とヒブ感染症ワクチン（Hib）の組み合わせで予防できていた感染症が、五種混合（DPT-IPV-Hib）の1本で予防できます。

予防できる感染症	接種するワクチン	
・ジフテリア ・百日せき ・破傷風 ・ポリオ ・ヒブ感染症	四種混合 全4回接種で完了	ヒブ感染症 基本的には全4回接種で完了
	五種混合 全4回接種で完了	

2024年4月1日時点での接種状況により、接種する予防接種の種類が原則決められます。下記のフローチャートを参考に2024年4月1日以降に接種する予防接種の種類を確認してください。

介護保険主治医意見書の作成

　介護サービスの利用（図1-20）を希望する患者さんが要介護認定を受ける際に、必ずかかりつけ医に記載してもらう必要があるのが「**介護保険主治医意見書**」です。

図1-20 **介護サービス利用に至るまでの流れ**

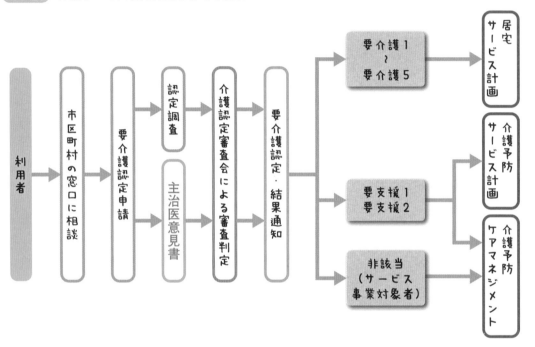

　「介護保険要介護（要支援）認定申請書」は、患者さん本人（もしくは代理人）に市区町村の窓口に申請してもらいます。すると、市区町村から保険医療機関に下記の3点が届きます。

- 主治医意見書
- 主治医意見書作成依頼書
- 返信用封筒

主治医意見書（未記入）が到着したあとの流れは、下記フローチャートの通りです。

意見書作成の主な流れ

① 主治医意見書（未記入）が届く

② 該当患者を診察後、意見書に記入

③ 先に主治医意見書を同封の封筒で市区町村へ送り返す

④ 毎月10日までに主治医意見書作成依頼書・請求書（図1-21・1-22）を国保連合に送る*

＊送付先は都道府県によって異なります

※

フローチャートの②〜④（※）の注意点は下記の通りです

● **②の注意点**：必ずいつまでに提出してほしいかという「提出期限」が書いてあるため、その期日より前に患者さんに受診してもらい、速やかに送り返すことになります。また、意見書の文書料は市区町村に請求するため、本人からの徴収はありません

● **③の注意点**：期限内に送付することはもちろんのこと、ほとんどの場合年1回の申請になるため、書いた書類はコピーして保管しましょう

● **④の注意点**：意見書の送り先と請求書（図1-22）の送り先は異なります（先に意見書を送ってから作成依頼書・請求書を送付する）

図1-21 介護保険主治医意見書作成依頼書のイメージ

令和6年 6月14日

期限が短めなので早めの作成を心がけましょう（この期限は意見書提出の期限です）

様

××市××区長

介護保険　主治医意見書作成依頼書

　次の被保険者については、同封の「主治医意見書」をご記入の上、提出期限までに、ご返送くださいますようお願いします。

提出期限　令和6年　6月21日

被保険者番号	1001625431		
被保険者氏名	△△　△△		
生　年　月　日	昭和○○年○○月○○日	性　別	女
被保険者住所	××区×××町		
意見書の種別	在宅継続		

問い合わせ先
××区役所　区民福祉部　福祉課　介護保険係

直　通　　　　　　　　　　　　FAX XXX-XXXX

※以下の「請求明細書」に意見書を提出された年月をご記入ください。意見書作成料は国保連を通じてお支払いしますので、××市分の「請求明細書」をとりまとめの上、請求書に添付してください。

切り離して下を送ります

------------------------------- 切り取り線 -------------------------------

意見書作成料請求明細書

保険医療機関番号	23-1-05-0525-6		
保険医療機関名	○○クリニック		
証記載保険者名	××市××区	証記載保険者番号 ※	23-105-0
被保険者番号	1001625431		
被保険者氏名	△△　△△		
作成依頼年月日	令和6年　6月14日	提出期限	年　　月
意見書の種類	在宅継続	請求金額	4,320　円

意見書を提出した月を書きます

※区毎に証記載保険者番号は違いますが、○○市分してとりまとめて御請求ください。

新規と継続どちらかが表記されています

含む再生紙を使用して

金額は市区町村によって異なります

図1-22 介護保険主治医意見書作成料請求書のイメージ

介 護 保 険 主 治 医 意 見 書 作 成 料 請 求 書

| 保険者番号 | 2 | 2 | 2 | 2 | 2 | 2 |
| 保 険 者 名 | ○ | ○ | 市 | | 様 | |

下記のとおり請求します。

令和 6 年 　 月 　 日

保険医療機関（老人保健施設）番号 ＿＿＿＿＿＿＿＿＿

保険医療機関（老人保健施設）の所在地及び名称

＿＿＿＿＿＿＿＿＿＿＿＿＿＿＿＿＿＿

開設者氏名 ＿＿＿＿＿＿＿＿＿＿

	件　　数	金　　額
請　求	件	円

※　この請求書には、必ず主治医意見書作成料請求明細書を添付してください。
※　請求欄の件数は、明細書の枚数と同一になります。
　　また金額は、消費税込みの金額でご記入ください。
　　（なお、請求明細書に記載してある金額は消費税込みの金額です。）

この用紙が表紙（1枚目）になりますこの後ろに図1-21の切り離した部分を添付します

意見書作成料請求明細書の合計枚数と合計金額を記入します

以下は記入を要しません。

	件　　数	金　　額
払　戻	件	円
増　額	件	円
減　額	件	円
請求誤差	件	円
		円

この用紙は、古紙パルプを含む再生紙を使用しています。

労災（労働者災害補償保険法）と自賠責（自動車損害賠償責任保険）

1 労災保険、自賠責保険とは

　労災保険とは、業務災害または通勤災害に対して労働者やその遺族のために、必要な保険給付を行う制度です。業務上や通勤途中にケガや病気になったとき、健康保険ではなく、労災保険の療養補償給付により無料で治療を受けることを補償します。

　自賠責保険とは、自動車の運行によって、他人の生命や身体を害した場合に支払われる保険です（原動機付自転車を含む、すべての自動車を保有する人が加入を義務付けられている強制保険）。自動車事故の被害者の救済を目的とした法律である自動車損害賠償保障法（損害賠償法）に基づき、被害者を医療補償するものです。

これだけ！
アドバイス

ケガ等の場合は外科や整形外科を受診する患者さんがほとんどですが、中には「軽いケガならどこの医療機関でもとりあえず診療してくれる」と思ってまったく別の診療科に来院する人もいます。「整形外科じゃないから労災や自賠責の人は来ないだろう」と思っている医療事務員も少なくありません。

受付は、必ずしも保険診療扱いの患者さんだけが訪れるわけではありませんので、万が一、勤め先のクリニックで対応できない患者さんが来院した場合に、適切な説明と応対ができるように、知識を蓄えておきましょう。

2 労災保険

　まず、勤め先のクリニックが「指定医療機関」または「非指定医療機関」のどちらであるのかを把握しておく必要があります。

- **指定医療機関**……医療機関の所在地を管轄する都道府県労働局に対して届け出を行っている保険医療機関
- **非指定医療機関**……届け出を行っていない保険医療機関

把握できたら、
勤め先のクリニックは
どういった対応・手順で行うのか
p.84 のチャートで
確認しましょう

「療養補償給付たる療養の給付請求書」

　「療養補償給付たる療養の給付請求書」は、労災保険として窓口で取り扱う場合に必要な書類で、この様式を確認するまでは、基本的にそれまでの診療行為は、自費徴収（10 割負担）となります。

　様式の使い分けは表 1-13 に示した通りです。下記の使い分けも頭に入れておきましょう。

- 一番初めに受診した保険医療機関での診療……様式 5 号（または様式 16 号－3）
- 他院からの転院による労災での診療……………様式 6 号（または様式 16 号－4）

表1-13 様式の使い分け

	指定医療機関	指定医療機関変更届	非指定医療機関
業務上（勤務中）	様式 5 号（図 1-23）	様式 6 号（図 1-24）	様式 7 号（図 1-25）
通勤途上	様式 16 号－3	様式 16 号－4	様式 16 号－5

図1-23 様式5号

表面 裏面

各様式の違いに
注目ですね

図1-24 様式6号

表面 裏面

患者さんは
何の書類が必要か
わからないので、
「様式〇号です」と
伝えてあげま
しょう

図1-25 様式7号

表面　　　　　　　　　　　　　　裏面

労災と公災

労働災害には、労災と公災がありますが、両者の違いはわかるでしょうか？

- **労災（労務災害）**……各事業主が加入しており、その労働者が業務災害または通勤災害に遭った場合に受ける補償
- **公災（公務災害）**……公務員が公務遂行中に業務災害または通勤災害に遭った場合に受ける補償。公務災害は国家公務員災害補償法と地方公務員災害補償法がある

どちらもまず請求方法が異なります。労災の場合は労働局労働基準部労災補償課に請求しますが、公災は公災指定の機関に請求します。

また、算定基準・点数等はどちらも同じでありながら、取り扱う用紙等が異なります。もし、労災として扱うことになった場合、その患者さんが国家公務員や地方公務員でないかを確認する必要があります。すべて同じ労災だと思い込まないことが大事です。国家公務員災害補償または地方公務員災害補償の場合は、請求方法・請求先など、患者さんの勤め先の担当部署に手順を確認したほうがよいでしょう。

労災を取り扱う場合の流れ

労災を希望する患者さんには下記フローチャートに従って対応します。

指定医療機関にて
労災を取り扱う場合
（様式5号または16号－3）

↓

"療養の給付請求書"
を持参された場合
→ 当日から窓口分は無料

↓

労災保険で請求
「労災診療費請求書」
に患者ごとに作成し
たレセプトを添付し、
労働基準局長が指定
する日までに提出す
る（第1回目は必ず
「療養の給付請求書」
または「指定病院等
（変更）届」を添付

労災扱い未確定者
→ 確定するまで
10割で徴収

後日"療養の給付請求書"持参
→ これまでの自費徴収（10割分）
全額返金

非指定医療機関で
労災を取り扱う場合
（様式7号または16号－5）

療養費払い
（立替分を本人自らが
労働基準監督署に請求する）

10割で徴収・7号様式に
保険医療機関が診療内容を
記入して患者さんへ渡す

 労災と自賠責って苦手です…

 私もです

 専門医療機関以外では取り扱う機会が少ないから無理もないわね

 でもこのフローを見ながらであればなんとかなりそうです

 私もです

 見ながらできるなら、そのうち見ないでもできるわよ

3 自賠責保険

　まず、勤め先のクリニックが、自賠責の取り扱いを行っているかの確認が必要です。取り扱わない場合は、最初から患者さんに説明し、近くに整形外科や病院がある場合は、速やかにそちらにご案内したほうがよい場合もあります。

自賠責を取り扱う場合の流れ

　自賠責を希望する患者さんには下記フローチャートに従って対応してください。

事故に遭って来院

患者本人が保険会社に連絡をし、保険会社の担当者に直接保険医療機関へ連絡をしてもらう。

連絡が取れた場合は、当日から無料（ただし、内容によって自己負担が発生する場合あり）

連絡がつかない場合、連絡がつくまで自費徴収（10割）

連絡が取れたら全額返金

保険会社の会社名、連絡先、担当者を確認後、請求方法等の指示を受ける（保険会社一括払いとは限りません）

後日、保険会社より診断書、明細書等の様式が送付される

1か月単位で作成し、保険会社へ請求

後日保険会社より入金される

3 | 会計書（領収書）の発行

診察が終わると、次は会計書（領収書）を発行します。診療報酬の基準点数に基づいて算定し、最後に出た点数を円に換算した金額から患者さんの保険に準じた負担率分がその日にいただく金額となります。

1 | 会計書（領収書）発行の流れ

　会計書（領収書）の発行にあたって、まず診療報酬に基づいて点数を算定する必要があります。そして、すべての点数を合計した点数を円にした（1点＝10円）金額から、患者さんが加入している保険に準じた負担率分がその日にいただく金額となります。

　お会計が発生しない患者さんの場合、会計書（領収書）は出ませんが、明細書がある場合は明細書だけ出力されてきますので、お渡ししないといけません。

　勤め先のクリニックが「院内で処方薬を賄っているか否か（院内処方 or 院外処方）」あるいは「電子カルテを導入しているか否か（電子カルテ or 紙カルテ）」などによって、業務の流れや算定方法は変わります。院内処方の場合は、会計にあわせて薬の用意もしなければなりません。

- **院内処方 or 院外処方**……院内処方の場合は、会計と一緒に薬も渡さなければならないため、会計書の発行と同時に薬の調剤が行われます。院外の場合は処方箋の発行をして、会計書と一緒にお渡しします
- **紙カルテ or 電子カルテ**……紙カルテの場合は、レセプトコンピュータにその日の診療分すべてを入力して本日会計分を算定します。電子カルテの場合は、処方内容や検査等、その日の診療で行った内容があらかじめ入力されていると思いますので、入力漏れ（指導料など）がないかを確認し、会計書（領収書）を発行します

　院内処方の場合と紙カルテを見て会計を出す場合は、時間がかかります。しかし、焦る必要はありません。円滑かつ間違いなく業務をこなすことが重要です。

2　会計書（領収書）の見方

実例（図1-26）をもとに会計書（領収書）の見方を確認していきましょう。

図1-26　**会計書（領収書）の記載内容のイメージ**

請 求 書 兼 領 収 書

本証は再発行は致しません。
大切に保管してください。

患者番号	氏　名	請 求 期 間
829	様	

入・外	発 行 日入・外	保険者番号	負担割合	本・家
外来	令和 6年 7月 30日		3 割	家

① 保険	初・再診料	入院料等	医学管理等	在宅医療	検査	画像診断	投薬
	128点	点	225点	点	点	点	124点
	注射	リハビリテーション	精神科専門療法	処置	手術	麻酔	放射線治療
	点	点	点	点	点	点	点
	病理診断						
	点						

② 保険外負担	インフルエンザ・予防接種	自費			
	円	円	円	円	円
	円				

	保険			保険外負担		領収印
合計	477点			円		
負担額	1,430円			円		

前回未収金	（優待・助成金）	請求金額	今回未収金	領収金額
円	円	1,430円	円	1,430円

※厚生労働省が定める診療報酬や薬価等には、医療機関等が仕入れ時に負担する消費税が反映されています。

① **保険**…………保険適用の項目

② **保険外負担**……保険適用外の項目（自費項目・自費金額）

患者さんの自己負担分はいくらですか？

自己負担の割合を3割とした場合、4,770円×30％＝1,431円だから…

四捨五入して、1,430円ですね！

明細書とは、その日に受けた医療行為の内容について、領収書よりもさらに詳しい内容が記載されたものです。

実例（図 1-27）をもとに明細書の見方を見ていきましょう。

図 1-27 明細書の記載内容のイメージ

① **区分**…………保険適用の区分
② **項目名**…………各区分の内訳。検査や薬剤の名称など
③ **単価（点）**……厚生労働省が定めた各医療行為に割り当てられた点数
④ **回数**…………医療行為を行った回数

これだけ！アドバイス

● **明細書発行体制等加算（レセプト番号⑫）**

明細書発行体制等加算は、電子請求を行っており明細書を無料発行している診療所（下記施設基準を満たす診療所）にて受診した患者に対して、再診料に加算（1点）できることをいいます。なお、この点数は患者さんが明細書の発行を希望しなかった場合も、加算することができます。

＜明細書発行体制等加算の施設基準＞

① 診療所であること

② レセプトオンライン請求または CD-ROM などの電子媒体による請求を行っていること

③算定した診療報酬の区分・項目の名称およびその点数または金額を記載した詳細な明細書を患者に無料で交付していること。また、その旨を院内掲示していること

4 会計

会計書（領収書）と明細書が発行されたら、最後にお会計になります。お金のやり取りですので、万が一にも間違いがあるとトラブルにつながりますし、クリニックの信用にも関わってきます。患者さんを目の前にしての作業ですから、焦りがちですが、特に落ち着いて作業しましょう。

1 患者さんを呼ぶ前に確認すること

　会計のために患者さんを呼ぶ前に、下記が今から呼ぶ患者さんのものであるかをもう一度確認してください。

- ・診察券
- ・保険証・受給者証等（お預かりした場合。診察前にお返しする場合は返すときにすべて本人のものか確認する）
- ・会計書（領収書）（会計がある患者さんの場合）
- ・明細書
- ・調剤した薬剤（院内処方の場合）
- ・処方箋（院外処方の場合）

　続けて印刷されてくると起こりがちなのが、「違う患者さんの会計書や明細書をセットにして渡してしまう」「兄弟や夫婦で診察を受けたのに、1人分しかお渡ししない」などの単純ミスです。むしろ、単純なミスほどよく起こります。

　忙しくて手間だと思っても、間違えたときのほうがさらにそのあとの処理に手間と時間がかかりますので、少しの労力を惜しまない習慣をつけましょう。ルーティンにしてしまえば、最短ルートで正しく遂行できるようになります。

2 患者さんが受付に現れたら

　名前を呼んだ患者さんが受付に現れたら、まずお渡しするものが患者さん本人のものであるかを確認してもらいます。この確認の工程をおざなりにすると、あとから「もらってない」「渡した」の言い合いになるなどの揉め事につながりやすくなります。忙しいと行動も慌ただしくなりがちですので慎重に行いましょう。

　なお、レジの打ち方（社保と国保、自費で分けるのか）や、会計した金額を記入する日計表等は、保険医療機関によってまったく異なります。会計処理や診療最後のレジの締め方の流れは、現場のやり方に従って覚えることになります。

3 会計が終わったら

　お会計が終わった患者さんはよく忘れものをします。たとえば、「処方箋を手にもって帰ろうとして、ほかのものはすべてしまったのに、その処方箋をそのまま置いて帰ってしまった」「杖を窓口の台に引っ掛けておいて杖を忘れて帰った」などということは日常茶飯事です。

　最後に「お大事にしてください」などの言葉を患者さんに投げかけたあとなど、忘れものがないかも気にかけてあげてください。

忘れものは
ございませんか？

お金を入れるトレーは2つ用意する

お会計時は、できたらお金を入れるトレーは2つ用意したほうが間違いは少なくなります。1つはあらかじめ患者さんの前に置いておき、そのトレーにお金を載せていただきます。そのお金はすぐに金庫の中にしまわず、先にもう1つのトレーにお釣りを入れて、お釣りを患者さんが受け取ってから、最後に受け取ったお金を金庫に入れるようにしましょう。

というのも、1万円と5千円を間違えるトラブルがよく起こるからです。預かったのは5千円なのに1万円と勘違いして多めにお釣りを渡してしまったり、あるいは1万円を渡したと勘違いした患者さんから「お釣りが間違っている」とクレームが入ることも。

先に患者さんが出したお金を金庫の中に入れてしまっていると、証拠がなくなってしまいますので、トラブルを解消するためにも、預かったお金は最後までトレーに載せたままにしておくほうが安全です。

冷静なときは、「そんな間違いはしない」と思えますが、忙しくて何人も立て続けにお会計していると、よくそういった間違いが起きます。お金に関することですので、トラブルがないように慎重に取り扱いましょう。

 ふぅー、これで外来業務は一安心ですね

 ホントかなー？　電話応対や外国人の患者さんのときはどうするの？

 ……

 現場で役立つ接遇やマナー、外国人応対のポイントは付録（p.255）で説明しています

 絶対確認しなきゃ！

レセプトって何？

第 2 章

保険 (レセプト) 請求
【理論編】

クリニックの収入の大部分を占めるのは、診療報酬です。診療報酬は「診療
報酬点数表」に従って算出します。各診療でどういった項目が算定できるかを、
一定の理解とともに把握することは、医療事務員にとって必須のスキルです。

1 | レセプト

医療事務のお仕事のなかでも、特に重要なのがこのレセプトに関する業務です。レセプトを正しく入力するには、たくさんの診療行為の算定要件を学習しなければなりません。

1 | レセプトとは

　レセプトは、診療報酬明細書ともいい、1回の診療行為にかかった費用の明細を定められた書式で記載し、それらを集約してひと月分の診療にかかった費用を患者さん1人につき1枚にまとめたものです（図2-1）。保険診療の多くの場合、診療費は患者さん自身が窓口で支払う自己負担分3割と、保険者負担分7割とに分けられます。その保険者負担分7割の診療費を請求するために、レセプトが必要になります。

　また、多くの診療所でレセプトは電子カルテ（電カル）やレセプトコンピュータ（レセコン）で作成される電子レセプトになっています。

<＜電子カルテとレセプトコンピュータでのレセプト作成業務の違い＞
- ● 電子カルテ…医師が入力した電子カルテの情報がそのままレセプトシステムに自動的に入力される
- ● レセプトコンピュータ…紙カルテ運用で紙カルテに書かれた診療内容を事務員がレセプトコンピュータに入力する

電子カルテシステムが導入されていてもカルテは紙で運用していて、レセプトコンピュータとしてしか使っていないケースもあります

2 診療報酬点数の算定

　医師がカルテに記入した診療行為や薬をそれぞれ診療報酬点数表や「薬価基準」（厚生労働省が定めた薬の価格の一覧表）に基づいて決められた点数で計算し、その日の診療にかかった合計点数および診療費（1点＝10円）を算出します。診療報酬点数表は、基本診療料と特掲診療料から構成され、さらに区分ごとに「A000 初診料」など細かく区分番号が振られています。

- ● 基本診療料…初診もしくは再診、入院の際等に行われる基本的な診療行為の費用を一括して評価するもの。2018年度の改定でオンライン診療料が導入されたが、2022年度に廃止され、新たに「情報通信機器を用いた診療」に移行された（➡ p.113）
- ● 特掲診療料…基本診療料として、一括で支払うことが妥当でない特別の診療行為に対して個別的に評価するもの。特掲診療料は、医学管理等・在宅医療・検査・画像診断・投薬・注射・リハビリテーション・処置・手術・麻酔等、それぞれの診療行為ごとに点数が定められている

　また、診療報酬には加算料という項目があり、たとえば急病で時間外に診療を受けた場合、初診料、または再診料に時間外加算が追加されます。病院と診療所、年齢、診療時間等によりそれぞれ所定点数（基本点数）または加算点数が異なっているので注意が必要です。

本章では、
内科のクリニックで
算定することが多い項目を
抜粋してまとめています。
保険医療機関によって頻繁に
算定する項目はさまざまなため、
どういった算定をよく行って
いるのかを知ることから
始めましょう

図2-1 レセプトの様式見本

診 療 報 酬 明 細 書　Ⓐ
（医科入院外）

令和　　年　　月分

都道府県番号　医療機関コード　Ⓑ

| 1医科 | 1社・国 2公費 | 3後期 4退職 | 1単独 2 2併 2 3併 | 本外 246家外 | 8高外－0高外7 |

保険者番号　Ⓒ　給付割合 10 9 8 7 ( )

公費負担者番号①　Ⓓ
公費負担医療の受給者番号①

公費負担者番号②
公費負担医療の受給者番号②

被保険者証・被保険者手帳等の記号・番号　（枝番）

氏名　Ⓔ
1男 2女　1明 2大 3昭 4平 5令　・　・　生

職務上の事由　1 職務上　2 下船後3月以内　3 通勤災害　Ⓕ

特記事項　Ⓖ

保険医療機関の所在地及び名称　Ⓗ　（　床）

傷病名　Ⓘ
(1)
(2)
(3)

診療開始日
(1)　年　月　日
(2)　年　月　日
(3)　年　月　日

転帰　治ゆ　死亡　中止

診療実日数　Ⓙ
保険　日
公費①　日
公費②　日

11	初　診	時間外・休日・深夜	回	点	公費分点数
12 再診	再　　　診	×	回		
	外来管理加算	×	回		
	時　間　外	×	回		
	休　　　日	×	回		
	深　　　夜	×	回		
13	医学管理				
14 在宅	往　　　診		回		
	夜　　　間		回		
	深夜・緊急		回		
	在宅患者訪問診療		回		
	その他				
	薬　剤				
20 投薬	21 内服薬剤		単位		Ⓚ
	内服調剤	×	回		
	22 屯服薬剤		単位		
	23 外用薬剤		単位		
	外用調剤	×	回		
	25 処　方	×	回		
	26 麻　毒		回		
	27 調　基				
30 注射	31 皮下筋肉内		回		
	32 静　脈　内		回		
	33 その他		回		
40 処置	薬　剤		回		
50 手術麻酔	薬　剤		回		
60 検査病理	薬　剤		回		
70 画像診断	薬　剤		回		
80 その他	処方箋		回		
	薬　剤				

Ⓛ

療養の給付	保険	請求　　点	※　決定　　点	一部負担金額　円
		Ⓜ		減額　割(円)　免除・支払猶予
	公費①	点	※　　　　点	Ⓜ　円
	公費②	点	※　　　　点	円

※高額医療費　円　※公費負担点数　点　※公費負担点数　点

Ⓐ：診療が行われた年月
　　（レセプトを提出する年月ではありません）

Ⓑ：医療機関の情報（2桁の都道府県番号と
　　医療機関の7桁のコードを記載）

Ⓒ：保険資格の情報

Ⓓ：公費負担の情報（公費負担に該当
　　する場合、受給者番号を記載）

Ⓔ：氏名、性別、生年月日

Ⓕ：職務上の理由（船員保険の場合）

Ⓖ：特記事項（該当する場合、決められた略号を記載）

Ⓗ：保険医療機関の所在地および名称

Ⓘ：傷病名と診療開始日、転帰（先頭に主傷病を記載、
　　傷病名を書いた順で診療開始日と転帰を記載）

Ⓙ：診療実日数（医療保険および
　　公費で診療が行われた日数）

Ⓚ：各点数（診療行為の回数と点数の内訳を記載）　→ ⑪初診、⑫再診、⑬医学管理等、
　　　　　　　　　　　　　　　　　　　　　　　　　　　　⑭在宅医療、⑳投薬、㉚注射、
　　　　　　　　　　　　　　　　　　　　　　　　　　　　㊵処置、㊿手術・麻酔、�60検査、
　　　　　　　　　　　　　　　　　　　　　　　　　　　　㊱画像診断、㊻処方箋　等

Ⓛ：摘要（Ⓚに記載された点数で、理由や
　　説明が必要であればその内容を記載）

Ⓜ：合計点（左：Ⓚの点数の合計、
　　右：患者さんが窓口で支払った額の合計）

> 図2-1の
> Ⓚの箇所に記載されている
> 「⑪初診」「⑫再診」などの番号は
> 診療識別コード番号といいます。
> 診療報酬点数表の区分番号と
> 混同しないように！

2 ⑪初診料・⑫再診料

初診料とは、患者さんが傷病（ケガや病気）についてその保険医療機関で初めて診療行為を受けたときの診療料をいいます。再診料とは再来患者さんを対象とした診療料です。2回目以降の継続的な診療分は原則再診料の算定となります。

「⑪初診料」の⑪は、ここの番号ですね

＜レセプト＞

| 11 | 初 診 |
| 12 | 再 診 |

その通り！　基本診療料から学ぶわよ！

⑪ 初診料

1 算定要件

初めて来院した場合に算定するのは明確でわかりやすいですが、当然のことながら、来院するのは初診の患者さんばかりではありません。初診ではなくても算定できる場合もあります。算定要件によって、算定できる／できないが変わることに注意が必要です。

＜主な算定要件例＞

① 患者さんが任意（自分の都合で）診療を中止し、1か月以上経過後、再び同一の保険医療機関において診療を受ける場合は、その診療が同じ病名または同じ症状によるものであっても、診療料は初診として取り扱うことができる。なお、どのタイミングで初診にするかは、保険医療機関によって異なる

② 現在、診療継続中の患者さんについて、新しく発生した傷病を初診で行っても、新しく発生した傷病について初診料を算定できない ➡再診で算定

③ 勤め先のクリニックで患者さんが健康診断等を受けた結果、治療の必要があった場合の診察料は初診料を算定できない ➡再診で算定

これだけ！
アドバイス

● 健康診断（自由診療）の結果、治療の必要がある場合の算定

・勤め先のクリニックの健診で患者さんが引き続き治療が必要と
なった ➡ 再診で算定（p.104）

・他の健診センターなどでの検査の結果、治療が必要といわれ、受
診した ➡ 初診で算定

2 初診料に対する主な加算

以下の場合、加算（初診料にプラスして算定すること）ができます。

診療時の条件によって算定できる加算

診療時の条件によって算定できる加算には「乳幼児加算」と「時間外加算」の2つがあります。加算できる点数は表2-1に示した通りです。

● **乳幼児加算**…6歳未満に対して算定できる加算
● **時間外加算**…通常の診療時間以外の時間に受け付けした場合に算定できる加算

───── **時間外**：診療時間外の時間（休日・深夜を除く）
───── **休 日**：日・祝日・年末年始（12/29〜12/31、1/2〜1/3）（深夜を除く）
───── **深 夜**：22：00〜6：00

施設基準を満たした診療所が算定できる加算

施設基準を満たした診療所が算定できる加算には「夜間・早朝等加算」があります。

● **夜間・早朝等加算**…施設基準を満たしていれば算定可。標榜する時間内であってもこの時間帯は加算できる

18:00 ～ 8:00 までの間（22:00 ～ 6:00 と休日は除く）で、勤め先のクリニックが標榜した診療時間が該当する場合、その時間に受け付けた患者さんに対して算定できます。

・ただし、土曜日は 12:00 ～ 22:00 までの間とする
・日・祝日を診療日としている場合（6:00 ～ 22:00 の間）に算定する（休日加算は算定できない）

表2-1 乳幼児加算と時間外加算の点数一覧（初診時）

		時間内	時間内 夜間・早朝 (50点)(基)[1]	時間外 (85点)	休日 (250点)	深夜 (480点)	時間外特例[2] (230点)
6歳以上	初診料（1回につき）	291点	341点	376点	541点	771点	521点
	2科目初診料（1回につき）	146点（2つ目の診療科に限る。時間外加算等なし）					
	情報通信機器を用いた場合	253点	303点	338点	503点	733点	483点
		時間内 (75点)	時間内 夜間・早朝 (50点)(基)[1]	時間外 (200点)	休日 (365点)	深夜 (695点)	時間外特例[2] (345点)
6歳未満	初診料（1回につき）	366点	416点	491点	656点	986点	636点
	2科目初診料（1回につき）	146点（2つ目の診療科に限る。乳幼児・時間外加算等なし）					
	情報通信機器を用いた場合	328点	378点	453点	618点	948点	598点

＊1：施設基準を満たした場合　＊2：救急病院など

施設基準や届出によって算定できるその他の加算

施設基準や届出条件を満たした場合の加算について、表2-2にまとめました。

表2-2 施設基準や届出条件を満たした場合の加算（初診時）

	施設基準	加算点数	算定要件
機能強化加算	要届出*1	80点	かかりつけ医機能を評価した加算で届出を行った保険医療機関（許可病床数が200床未満の病院又は診療所に限る）のみ算定できる。また、必要に応じ、患者の健康管理における相談対応などを行うとともに、対応できる旨を院内およびホームページ等に掲示し、説明する必要がある。初診料算定時に併せて算定できる
外来感染対策向上加算	要届出	6点（月1回）	組織的な感染防止対策につき施設基準を満たした診療所が届出を行った場合に算定できる
発熱患者等対応加算	要基準*2	20点（月1回）	外来感染対策向上加算を算定する診療所において、発熱その他感染症を疑わせるような症状を呈する患者に対して適切な感染防止対策を行った場合に算定できる
抗菌薬適正使用体制加算	要届出	5点（月1回）	外来感染対策向上加算を算定する診療所において、施設基準を満たした場合に算定できる
連携強化加算	要届出	3点（月1回）	外来感染対策向上加算を算定する診療所において、感染症の発生状況、抗菌薬の使用状況等について報告を行っている場合に算定できる
サーベイランス強化加算	要届出	1点（月1回）	外来感染対策向上加算を算定する診療所において、地域や全国のサーベイランスに参加している場合に算定できる
医療情報取得加算	要基準	〜2024年11月 1：3点 2：1点（月1回）2024年12月〜*3 1点（月1回）	施設基準を満たす保険医療機関のみ算定する。施設基準を満たす旨を院内およびホームページ等に掲示し、必要に応じて患者に対して説明する必要がある ＜2024年11月まで＞オンライン資格確認により、患者の診療情報等を取得・活用したうえで診療を行った場合に2を算定し、オンライン資格確認で診療情報を取得しなかった場合または従来の保険証または資格確認書を提示された場合は1を算定する
医療DX推進体制整備加算	要届出	〜2024年9月 8点（月1回）2024年10月〜 1：11点 2：10点 3：8点（月1回）	医療DX推進に係る体制として別に厚生労働大臣が定める施設基準に適合しているものとして届出を行った場合、初診時に限り算定できる ＜2024年10月以降＞マイナ保険証の利用実績に加え診療情報等に基づく患者からの健康管理に係る相談対応に応じている場合はマイナ保険証の利用率によってそれぞれ1、2を算定し、相談に応じていない場合には3を算定する

＊1：算定するにあたり、施設基準を満たし、届出を出さないと算定できない
＊2：算定するにあたっての施設基準の届出は不要だが、施設基準を満たす必要がある
＊3：2024年12月以降は、患者のマイナ保険証の利用の有無にかかわらず、患者の診療情報等を取得・活用したうえで診療を行った場合に算定する

⑫ 再診料

1 算定要件

　１回目の診療が保険診療での受診であれば、２回目の再診料算定は明確です。しかし、初診料の項でも説明した通り、初診時に健康診断等の自費診療を受けた結果、治療の必要があって保険診療に切り替わった場合は、保険診療が初めてでも再診料の算定となります。

これだけ！
アドバイス

● 初診時の健診後、保険診療に切り替わった場合

病名が確定した日付と、診察料の算定が不一致になるので、（本来初診算定なのが再診料の算定になるため）レセプトの摘要欄には、その旨をコメントとして示さなければいけません（例：初診料は他法で請求済み）。

2 再診料に対する主な加算

診療時の条件によって算定できる加算

　初診料と同様に、診療時の条件によって算定できる加算には「乳幼児加算」と「時間外加算」の２つがあります。加算できる点数は表2-3 に示した通りです。

● **乳幼児加算**…6 歳未満に対して算定できる加算
● **時間外加算**…通常の診療時間以外の時間に受け付けした場合に算定できる加算

　　　　　　　時間外：診療時間外の時間（休日・深夜を除く）
　　　　　　　休　日：日・祝日・年末年始（12/29 ～ 12/31、1/2 ～ 1/3）（深夜を除く）
　　　　　　　深　夜：22：00 ～ 6：00

表2-3 乳幼児加算と時間外加算の点数一覧（再診時）

6歳以上		時間内	時間内夜間・早朝(50点)（基）	時間外(65点)	休日(190点)	深夜(420点)	時間外特例(180点)
	再診料(1回につき)	75点	125点	140点	265点	495点	255点
	2科目再診料(1回につき)	38点（2つ目の診療科に限る。時間外加算等なし）					

6歳未満		時間内(38点)	時間内夜間・早朝(50点)（基）	時間外(135点)	休日(260点)	深夜(590点)	時間外特例(250点)
	再診料(1回につき)	113点	163点	210点	335点	665点	325点
	2科目再診料(1回につき)	38点（2つ目の診療科に限る。乳幼児・時間外加算等なし）					

※情報通信機器を用いた場合を含む

施設基準や届出によって算定できる加算

　初診料と同様に「夜間・早朝等加算」があるほか、「外来管理加算」（➡ p.108）、「明細書発行体制等加算」などを算定できます。施設基準や届出条件を満たした場合の加算について、表2-4 にまとめました。

なかなかヘビーですね

がんばりどころです、たぶん…

表2-4 施設基準や届出条件を満たした場合の加算（再診時）

	施設基準	加算点数	算定要件
外来管理加算	―	52点	標榜する診療科に関係なく再診のつど算定できる（電話再診の場合は算定不可）。ただし、p.108の表2-5のように、算定できる項目とできない項目がある
夜間・早朝等加算	要基準	50点	施設基準を満たす診療所のみ算定する。標榜する時間内であっても、この時間帯では再診料に50点が加算できる。ただし、小児科特例加算、時間外特例加算とは併せて算定できない ・平　日　6：00〜8：00、18：00〜22：00 ・土曜日　6：00〜8：00、12：00〜22：00 ・日・祝日　6：00〜22：00
時間外対応加算 　イ　時間外対応 　　　加算1 　ロ　時間外対応 　　　加算2 　ハ　時間外対応 　　　加算3 　ニ　時間外対応 　　　加算4	要届出	5点 4点 3点 1点	地域の身近な診療所において、患者からの休日・夜間等の問い合わせや受診に対応できる体制が必要
明細書発行体制等加算	要基準	1点	施設基準を満たす診療所のみ算定する。診療報酬の算定項目がわかる明細書を無料で発行している場合に加算できる（要院内掲示と、あればHP掲載）。ただし、患者から発行しなくてよい旨の意思表示があったなど、正当な理由がある場合は発行しなくとも加算できる。レセプトオンライン請求など、電子請求等を行う施設基準適合の届出が必要となる
地域包括診療加算 　イ　地域包括診 　　　療加算1 　ロ　地域包括診 　　　療加算2	要届出	28点 21点	届出を行った診療所のみ算定する（電話再診の場合は算定不可） 算定対象者：高血圧症、糖尿病、脂質異常症、認知症、慢性心不全、慢性腎臓病（慢性維持透析を行っていないものに限る）の6疾病のうち2つ以上の疾患をもつ者
薬剤適正使用連携加算	―	30点	退院または退院月から2月を限度に1回算定

	施設基準	加算点数	算定要件
認知症地域包括診療加算 イ　認知症地域包括診療加算1 ロ　認知症地域包括診療加算2	要基準	38点 31点	施設基準を満たす診療所のみ算定する（ただし、地域包括診療加算の届出を行っている必要がある。また、電話再診の場合は算定不可）。認知症の患者^{（※）}に対して、患者またはその家族の同意を得て、療養上必要な指導および診療を行った場合に算定する ※認知症以外に1以上の疾患（疑いのものを除く）があり、1処方につき5種類を超える内服薬の投薬を行った場合および1処方につき抗うつ薬、抗精神病薬、抗不安薬または睡眠薬を合わせて3種類を超えて投薬を行った場合のいずれにも該当しないものに限る
薬剤適正使用連携加算	―	30点	退院または退院月から2月を限度に1回算定
外来感染対策向上加算	要届出	6点 （月1回）	組織的な感染防止対策につき施設基準を満たした診療所が届出を行った場合に算定できる
発熱患者等対応加算	要基準	20点 （月1回）	外来感染対策向上加算を算定する診療所において、発熱その他感染症を疑わせるような症状を呈する患者に対して適切な感染防止対策を行った場合に算定できる
抗菌薬適正使用体制加算	要届出	5点 （月1回）	外来感染対策向上加算を算定する診療所において、施設基準を満たした場合に算定できる
連携強化加算	要届出	3点 （月1回）	外来感染対策向上加算を算定する診療所において、感染症の発生状況、抗菌薬の使用状況等について報告を行っている場合に算定できる
サーベイランス強化加算	要届出	1点 （月1回）	外来感染対策向上加算を算定する診療所において、地域や全国のサーベイランスに参加している場合に算定できる
医療情報取得加算	要基準	～2024年11月 3：2点 4：1点 （3月に1回） 2024年12月～^{※1} 1点 （3月に1回）	施設基準を満たす保険医療機関のみ算定する。施設基準を満たす旨を院内およびホームページ等に掲示し、必要に応じて患者に対して説明する必要がある <2024年11月まで>オンライン資格確認により、患者の診療情報等を取得・活用したうえで診療を行った場合に4を算定し、オンライン資格確認で診療情報を取得しなかった場合または従来の保険証または資格確認書を提示された場合は3を算定する
看護師等遠隔診療補助加算	要届出	50点	へき地診療所において適切な研修を修了した医師が、看護師等といる患者に対し、オンライン診療を実施した場合に算定できる

＊1：2024年12月以降は、患者のマイナ保険証の利用の有無にかかわらず、患者の診療情報等を取得・活用したうえで診療を行った場合に算定する

● 外来管理加算

再診時に医師が直接診察し、一定の処置や検査等を行わず計画的な医学管理を行った場合に算定できます。算定できる行為とできない行為を表2-5にまとめました。

表2-5 再診時に外来管理加算を算定できる行為とできない行為

診療行為		外来管理加算の算定
⑫再診	再診（診察のみ）	○
	電話再診による再診	×
⑬医学管理等	慢性疼痛疾患管理（診療所のみ）	×
	上記以外の医学管理料	○
⑭在宅医療		○
⑳投薬		○
㉚注射		○
㊵処置		×
㊿手術・麻酔		×
⑥検査	検体検査	○
	病理学的検査	○
生体検査	呼吸循環機能検査等、監視装置による諸検査、皮膚科学的検査、臨床心理・神経心理検査	○
	超音波検査等、脳波検査等、神経・筋検査、耳鼻咽喉科学的検査、眼科学的検査、負荷試験等、内視鏡検査、ラジオアイソトープを用いた諸検査	×
⑦画像診断		○
⑧処方箋		○
⑧リハビリテーション		×
⑧精神科専門療法		×
⑧放射線治療		×

● 電話等再診料

　患者さんまたはその看護にあたっている人から治療上の意見を求められて電話で指示した場合でも算定できます（ただし、電話のみでの薬の処方はできません）。

　「電話等による再診」とは、①電話、テレビ画像等、② FAX、電子メール（聴覚障害の場合のみ）をいい、②の場合は、時間外、休日、深夜、夜間・早朝等の加算は算定できません。

　電話等再診料は、外来管理加算、地域包括診療加算、認知症地域包括診療加算は、算定できません（明細書発行体制等加算と時間外対応加算は算定可）。

⑪ 初診料 ・ ⑫ 再診料共通

1 初診料・再診料算定の考え方

　勤め先のクリニックに患者さんがこれまで受診したことがあり、現在も「診療継続中」かどうかが決め手になります。たとえば、上気道炎で受診したあと別日で湿疹で受診しても、上気道炎が継続であれば新たに初診料は算定できず、再診料を算定します（図 2-2）。しかし、そのあと 2 つとも診療を中止または完治していれば、次の診療は初診料が算定できます。

　病名によって、判断基準は異なりますが、最終来院日を目安に、継続中（再診）か継続中でないか（初診）を判断してください。また、最終来院時の投薬日数も算定の目安にしてください。

図 2-2　初診と再診の判断基準

2 　**時間外か否かの判断**

　算定にあたって時間外か否かの判断は重要です。表 2-6 に一例を示しましたので、勤め先のクリニックに置き換えて把握しておきましょう。

表2-6 時間外の判定〔標榜診療時間 8：00 ～ 17：00（土曜日 8：00 ～ 15：00）、
休診日：木曜日・日曜・祝日の場合〕

	〈一般の場合〉
診療日（土曜日以外）	22：00 深夜 時間外 6：00 17：00　時間内　時間外 8：00
木曜日	22：00 深夜 6：00 時間外
日曜日・祝日	22：00 深夜 6：00 休日
（日曜日を診療日とした場合）	22：00 深夜 休日 6：00 17：00　時間内　休日 8：00
土曜日	22：00 深夜 時間外 6：00 時間外 15：00　時間内　8：00

3 同日複数科受診についての初診料・再診料

　同日に他の傷病について別の診療科を初診または再診として受診した場合、初診料または再診料を算定できます。ただし、異なる診療科・医師であることが条件です。

　別日は全部再診料になります。

<内科受診のあと、そのまま眼科を受診した場合（同一保険医療機関に2科以上ある場合）>
- 同日初診〔複数科初診料（複初）〕……146 点
- 同日再診〔複数科再診料（複再）〕…… 38 点

異なる診療科・医師であるかを確認！

診療科がたくさんある病院だけだと思っていました…

以前は1つの科しかなかったから知らなかった！

算定上の注意事項

算定上の主な注意点を以下に列挙します。同一日の算定例（表2-7）も参考にしてください。

① 複初・複再の算定は、乳幼児加算・時間外加算は算定できない
② 同一日に3科目はどちらも算定できない
③「同日に他の傷病」とは同一疾病または互いに関連のある疾病でないこと（NG例：糖尿病で内科を受診している患者が、糖尿病性網膜症の疑いで眼科を受診）
④ 複再で外来管理加算を算定する場合、別の科で外来管理加算が算定できない診療行為が行われたときは、外来管理加算は算定できない（外来管理加算の算定は、1日の診療内容のトータルで判断すること）
⑤ 初診時に、もう1つ別の科にも初診でかかった場合でもそれぞれ初診料・複初で算定できる
⑥「小児科外来診療料」（マルメ算定*）の場合は、1日につきの点数となるので、小児科外来診療料に含まれて別に算定できない

＊診療報酬における包括化のことで、投薬、注射、検査、画像診断等、どれだけ行っても一律の請求点数であること

表2-7 同一日複数診療科再診・初診の算定例

	1科目	2科目	3科目	算定方法
例1	内科（再診）	眼科（再診）	なし	再診料＋同一日複数診療科再診
例2	内科（初診）	眼科（初診）	なし	初診料＋同一日複数診療科初診
例3	内科（再診）	眼科（初診）	なし	再診料＋同一日複数診療科初診
例4	内科（初診）	眼科（初診）	整形外科（初診）	初診料＋同一日複数診療科初診1回
例5	内科（再診）	眼科（初診）	整形外科（初診）	再診料＋同一日複数診療科初診1回
例6	内科（再診）	眼科（再診）	整形外科（再診）	再診料＋同一日複数診療科再診1回

4　情報通信機器を用いた初診料・再診料

　2018年度に導入されたオンライン診療料が廃止され、オンライン診療の適切な実施に関する指針の見直しにより、情報通信機器を用いた診療が初診時から可能となりました。

＜算定点数＞

- 初診料（情報通信機器を用いた場合）…253点
- 複初（情報通信機器を用いた場合）……127点

- 再診料（情報通信機器を用いた場合）…75点
- 複再（情報通信機器を用いた場合）……38点

＜算定上の注意点＞

・別に厚生労働大臣が定める施設基準に適しているものとして地方厚生局長等に届け出た保険医療機関が算定可能
・電話で診療した場合は算定できない
・初診料・再診料の加算は算定要件を満たせば加算できる（外来管理加算、発熱患者等対応加算は算定できない）
・予約に基づく診療による特別の料金は徴収できない

※情報通信機器を用いた診療に係る医学管理料も見直され、要件を満たした場合に算定できる（➡ p.117）
※オンライン在宅管理料も廃止され、対面診療に情報通信機器を用いた診療を組み合わせて実施した場合に在宅時医学総合管理料に対して算定できる（➡ p.146）

情報通信機器を用いた
診療・処方を行う際には、
オンライン指針に沿った
適切な診療・処方であることを
レセプトの摘要欄に記載
しなければなりません

5 **発熱患者等対応加算と抗菌薬適正使用体制加算**

　発熱患者等対応加算と抗菌薬適正使用体制加算は、ともに 2024 年 6 月の診療報酬改定で新設され、初診料または再診料に加算できます（月 1 回のみ）。算定要件としては、「外来感染対策向上加算」の届出を行っている保険医療機関とされ、さらに抗菌薬適正使用体制加算は、加算自体の届出も必要となります。

● **発熱患者等対応加算と抗菌薬適正使用体制加算の施設基準のポイント**

	施設基準
発熱患者等対応加算	外来感染対策向上加算の届出が必要だが、加算自体の届出は不要。また、以下の施設基準を満たす必要がある ①受診歴の有無にかかわらず、発熱その他感染症を疑わせるような症状を呈する患者の受け入れを行う旨を公表し、受け入れに必要な感染防止対策として発熱患者の動線を分ける等の対応を行う体制を有していること ②感染症法第 38 条第 2 項に基づき都道府県知事の指定を受けた第二種協定指定医療機関または医療措置協定に基づく措置を講ずる医療機関であること（2024 年 12 月 31 日まで経過措置） ③感染症から回復した患者について、罹患後症状が持続している場合に、精密検査が可能な体制または専門医への紹介が可能な連携体制があることが望ましい
抗菌薬適正使用体制加算	外来感染対策向上加算の届出が必要かつ、加算自体の届出が必要。また、以下の施設基準を満たす必要がある ①抗菌薬の使用状況のモニタリングが可能なサーベイランスに参加していること ②直近 6 か月における外来で使用する抗菌薬のうち、Access 抗菌薬に分類されるものの使用比率が 60％以上または①のサーベイランスに参加する診療所全体の上位 30％以内であること

※初・再診料が包括された下記（1）～（9）の点数を算定する保険医療機関は医学管理等の通則の加算として算定する
（1）B001-2 小児科外来診療料、（2）B001-2-7 外来リハビリテーション診療料、（3）B001-2-8 外来放射線照射診療料、（4）B001-2-9 地域包括診療料、（5）B001-2-10 認知症地域包括診療料、（6）B001-2-11 小児かかりつけ診療料、（7）B001-2-12 外来腫瘍化学療法診療料、（8）B006 救急救命管理料、（9）B007-2 退院後訪問指導料

STEP UP 外来・在宅ベースアップ評価料（Ⅰ）（Ⅱ）

2024（令和6）年度診療報酬改定で、医療従事者の人材確保や賃上げに向けた取り組みとして特例的な対応が行われました。届出を行った医療機関のみ算定が可能ですが、算定要件として当該評価料による収益を、全額ベースアップに充てることになります。ここでは外来・在宅ベースアップ評価料（Ⅰ）について説明します。

	外来・在宅ベースアップ評価料（Ⅰ）（1日につき）
算定点数	1. 初診時　　6点 2. 再診時　　2点 3. 訪問診療時 　イ．同一建物居住者等以外の場合　28点 　ロ．イ以外の場合　　　　　　　　　7点
施設基準	・外来医療または在宅医療を実施している保険医療機関である ・主として医療に従事する職員（対象職員）が勤務している ・対象職員の賃金改善の実施に必要な体制が整備されている
対象職員	薬剤師・保健師・助産師・看護師・准看護師・看護補助者・理学療法士・作業療法士・視能訓練士・言語聴覚士・義肢装具士・歯科衛生士・歯科技工士・歯科業務補助者・診療放射線技師・診療エックス線技師・臨床検査技師・衛生検査技師・臨床工学技士・管理栄養士・栄養士・精神保健福祉士・社会福祉士・介護福祉士・保育士・救急救命士・あん摩マッサージ指圧師、はり師、きゅう師・柔道整復師・公認心理師・診療情報管理士・医師事務作業補助者・その他医療に従事する職員（医師および歯科医師を除く）

初診・再診・訪問時にそれぞれの点数で算定されますが、直接加算されるものではなく、レセプト「80 その他」の区分での請求になることに注意してください

3 | ⑬医学管理等

⑬医学管理等の項で定められる医学管理料とは、医師やコ・メディカル（看護師、薬剤師等）の医学管理・指導・情報提供を評価したものです。

 1 **医学管理料の分類**

医学管理料（表 2-8）は、大きく以下の 2 つに分けられます。

- 医師が医学管理を行うもの……てんかん指導料・難病外来指導管理料等。一般的に同一月に複数の医学管理料の算定は認められていない
- 医師以外（コ・メディカル）が指導を行うもの、または、検査の費用等を含むもの……特定薬剤治療管理料、悪性腫瘍特異物質治療管理料等。一般的に併用算定は認められている。検査費用を含むものについては、検査料、採血料、判断料が管理料に含まれており別に算定できない

算定要件がそれぞれ違うことがわかるでしょうか。診療所のみで算定できるもの、病院で算定可能でも病床数によって点数が違うもの等、算定要件はさまざまです。そして診療科によって、常にかかる医学管理料は異なります。何より、管理料を算定する際は、その算定要件を十分に理解する必要があります。

また、カルテに管理・指導内容の記載を求めるものも多いので、注意が必要です。

のような画像は表示されません

＜必ず押さえておきたい5つのポイント＞

① 対象疾患によって算定できる管理料が異なること

 算定できるのは対象の疾患が「主病」である場合のみ

② 月に算定可能な回数。月が変われば、1か月経過していなくても算定できる（週単位の場合は日曜から土曜を1週間と考える）

③ 初診・退院から1か月以内は算定不可である項目は、初診日から1か月、勤め先のクリニックの退院日から1か月経過しないと算定できない

 他院からの退院は算定できます

④ 「○○管理料」と「△△管理料」の同月での算定が不可の場合、どちらか一方を算定すること

⑤ 管理料を算定することによって、管理料に包括される診療行為があること

表2-8　医学管理料

B	第1部　医学管理等	B	第1部　医学管理等
B000	特定疾患療養管理料（★）	B001・10	入院栄養食事指導料（週1回）
B001	特定疾患治療管理料	B001・11	集団栄養食事指導料
B001・1	ウイルス疾患指導料（★）	B001・12	心臓ペースメーカー指導管理料
B001・2	特定薬剤治療管理料	B001・13	在宅療養指導料
B001・3	悪性腫瘍特異物質治療管理料	B001・14	高度難聴指導管理料
B001・4	小児特定疾患カウンセリング料（★）	B001・15	慢性維持透析患者外来医学管理料
B001・5	小児科療養指導料（★）	B001・16	喘息治療管理料
B001・6	てんかん指導料（★）	B001・17	慢性疼痛疾患管理料
B001・7	難病外来指導管理料（★）	B001・18	小児悪性腫瘍患者指導管理料（★）
B001・8	皮膚科特定疾患指導管理料（★）	B001・20	糖尿病合併症管理料
B001・9	外来栄養食事指導料（★）	B001・21	耳鼻咽喉科特定疾患指導管理料

➡ 次ページにつづく

B	第1部　医学管理等
B001・22	がん性疼痛緩和指導管理料（★）
B001・23	がん患者指導管理料（★）
B001・24	外来緩和ケア管理料（★）
B001・25	移植後患者指導管理料（★）
B001・26	植込型輸液ポンプ持続注入療法指導管理料
B001・27	糖尿病透析予防指導管理料（★）
B001・28	小児運動器疾患指導管理料
B001・29	乳腺炎重症化予防ケア・指導料
B001・30	婦人科特定疾患治療管理料
B001・31	腎代替療法指導管理料（★）
B001・32	一般不妊治療管理料
B001・33	生殖補助医療管理料
B001・34	二次性骨折予防継続管理料
B001・35	アレルギー性鼻炎免疫療法治療管理料
B001・36	下肢創傷処置管理料
B001・37	慢性腎臓病透析予防指導管理料（★）
B001-2	小児科外来診療料（1日につき）
B001-2-2	地域連携小児夜間・休日診療料
B001-2-3	乳幼児育児栄養指導料（★）
B001-2-4	地域連携夜間・休日診療料
B001-2-5	院内トリアージ実施料
B001-2-6	夜間休日救急搬送医学管理料
B001-2-7	外来リハビリテーション診療料

B	第1部　医学管理等
B001-2-8	外来放射線照射診療料
B001-2-9	地域包括診療料（月1回）
B001-2-10	認知症地域包括診療料（月1回）
B001-2-11	小児かかりつけ診療料（1日につき）
B001-2-12	外来腫瘍化学療法診療料
B001-3	生活習慣病管理料（Ⅰ）
B001-3-2	ニコチン依存症管理料
B001-3-3	生活習慣病管理料（Ⅱ）（★）
B001-4	手術前医学管理料
B001-5	手術後医学管理料（1日につき）
B001-6	肺血栓塞栓症予防管理料
B001-7	リンパ浮腫指導管理料
B001-8	臍ヘルニア圧迫指導管理料
B001-9	療養・就労両立支援指導料（★）
B002	開放型病院共同指導料（Ⅰ）
B003	開放型病院共同指導料（Ⅱ）
B004	退院時共同指導料1
B005	退院時共同指導料2
B005-1-2	介護支援等連携指導料
B005-1-3	介護保険リハビリテーション移行支援料
B005-4	ハイリスク妊産婦共同管理料（Ⅰ）
B005-5	ハイリスク妊産婦共同管理料（Ⅱ）
B005-6	がん治療連携計画策定料（★ ※2のみ）

B	第1部　医学管理等
B005-6-2	がん治療連携指導料
B005-6-3	がん治療連携管理料
B005-6-4	外来がん患者在宅連携指導料（★）
B005-7	認知症専門診断管理料
B005-7-2	認知症療養指導料
B005-7-3	認知症サポート指導料
B005-8	肝炎インターフェロン治療計画料（★）
B005-9	外来排尿自立指導料
B005-10	ハイリスク妊産婦連携指導料1
B005-10-2	ハイリスク妊産婦連携指導料2
B005-11	遠隔連携診療料
B005-12	こころの連携指導料（Ⅰ）
B005-13	こころの連携指導料（Ⅱ）
B005-14	プログラム医療機器等指導管理料
B006	救急救命管理料
B006-3	退院時リハビリテーション指導料
B007	退院前訪問指導料

B	第1部　医学管理等
B007-2	退院後訪問指導料
B008	薬剤管理指導料
B008-2	薬剤総合評価調整管理料（★）
B009	診療情報提供料（Ⅰ）
B009-2	電子的診療情報評価料
B010	診療情報提供料（Ⅱ）
B010-2	診療情報連携共有料
B011	連携強化診療情報提供料
B011-3	薬剤情報提供料
B011-4	医療機器安全管理料
B011-5	がんゲノムプロファイリング評価提供料
B011-6	栄養情報連携料
B012	傷病手当金意見書交付料
B013	療養費同意書交付料
B014	退院時薬剤情報管理指導料
B015	精神科退院時共同指導料

（★）の項目には、情報通信機器を用いた医学管理料が追加され、初診料等の「情報通信機器を用いた診療」の届出を行った保険医療機関に対して、算定要件を満たした医学管理料の点数をそれぞれ算定することができます

次ページから、診療所でよく扱うものについて詳しく見ていきますよ

2 頻出する医学管理料

内科で頻出する管理料を 5 つ紹介します。

(1) B000　特定疾患療養管理料　225 点（診療所の場合）

内科で
よく算定する
管理料です!!

特定疾患を主病とする患者に対し、治療計画に基づき療養
上必要な管理を行った場合に算定します（表 2-9）。

表2-9 **特定疾患療養管理料の算定のポイント**

算定点数	225 点（診療所の場合）※月 2 回まで
対象疾患	厚生労働大臣が定める疾患 例 悪性腫瘍（がん）、甲状腺疾患、虚血性心疾患、不整脈、心不全、脳血管疾患、慢性気管支炎、肺気腫、喘息、胃潰瘍、十二指腸潰瘍、胃炎および十二指腸炎、家族性高コレステロール血症、アナフィラキシー、ギラン・バレー症候群　など ※対象疾患が「術後」であっても対象となる ※アナフィラキシーとギラン・バレー症候群は 2024 年度の診療報酬改定で追加された
算定要件	・初診料（同日複数科初診料を含む）を算定した初診の日または勤め先のクリニックを退院した日から起算して 1 か月以内に行った管理の費用は算定できない ・看護にあたっている患者さん家族等に、療養上の管理・指導を行った場合も算定可 算定できない場合 ・検査のみで来院の場合 ・電話再診の場合 ・主病に対する治療が行われていない場合
併せて算定できない管理料	ウイルス疾患指導料、小児特定疾患カウンセリング料、小児科療養指導料、てんかん指導料、難病外来指導管理料、皮膚科特定疾患指導管理料、心臓ペースメーカー指導管理料、慢性疼痛疾患管理料、小児悪性腫瘍患者指導管理料、耳鼻咽喉科特定疾患指導管理料、移植後患者指導管理料、糖尿病透析予防指導管理料、認知症専門診断管理料 1・2、認知症療養指導料 1・2・3、在宅時医学総合管理料、施設入居時等医学総合管理料、在宅患者連携指導料、すべての在宅療養指導管理料、心身医学療法、通院・在宅精神療法、精神科在宅患者支援管理料、生活習慣病管理料（I）（II）
情報通信機器を用いた医学管理に係るもの	196 点（診療所の場合）　※月 2 回まで 初診等の「情報通信機器を用いた診療」の届出が必要

1 回目の特定疾患療養管理料は、初診料の算定日、または勤め先のクリニックの退院日から起算して 1 か月を経過した日以降に算定します。たとえば、9 月 3 日が初診の場合、1 か月を経過した日とは 10 月 3 日以降になります。また、もし 10 月 3 日が日曜日で休診だった場合、前日の 10 月 2 日に受診し、要件を満たせば算定できます。

<＜9月3日が初診の場合＞>

＜9月3日が初診の場合＞

9月						10月									
1日	2日	3日	4日	…	30日	1日	2日	3日	4日	5日	6日	7日	8日	9日	…
		初診 → 算定不可						㊙ 算定可							

9月						10月									
1日	2日	3日	4日	…	30日	1日	2日	3日	4日	5日	6日	7日	8日	9日	…
		初診 → 算定不可					㊙	休診	算定可						

頻出トラブル対処法❺

特定疾患療養管理料は「初診から1か月」と記されているにもかかわらず「特定疾患病名確定から1か月」と間違えて覚えている医療事務員が非常に多いです。迷ったら「初診から1か月！」を思い出しましょう。

【例1】 11月12日（初診）急性上気道炎
　　　　11月17日（再診）気管支喘息（特）
　　　　　　　12/12 より算定可能

【例2】 12月10日（初診）　咽頭炎
　　　　 1月12日（再診）　胃潰瘍（特）
　　　　　　　1/12 より算定可能

まさに「初診」恐るべからずですねっ!!

2024年の改定で、対象疾患から高血圧症、糖尿病、脂質異常症が外れたんですよね？

そう、よく勉強しているわね！

（2）B001・7　難病外来指導管理料　270点

　難病外来指導管理料は、厚生労働大臣が定める疾患（指定難病）を主病とするものに対して、計画的な医学管理と治療計画に基づいた指導を行った場合に月1回に限り算定できます（表2-10）。

表2-10 難病外来指導管理料の算定のポイント

算定回数	月1回
対象者	厚生労働大臣が定める疾患（難病法に規定される指定難病の患者）を主病とし、受給者証を交付されているもの、またはこれに準じる疾患の患者[*1] 例 潰瘍性大腸炎・パーキンソン病[*2] など
算定要件	初診または勤め先のクリニックからの退院1か月以内は算定不可（同一日複数診療科初診も該当） **算定できない場合** ・検査のみで来院の場合 ・電話再診の場合 ・主病に対する治療が行われていない場合　　特定疾患療養管理料の算定要件と同じ考え方です
人工呼吸器導入時相談支援加算	文書提供月から1月を限度として、1回に限り、500点を所定点数に加算する
併せて算定できない管理料	特定疾患療養管理料、ウイルス疾患指導料、小児特定疾患カウンセリング料、小児科療養指導料、てんかん指導料、皮膚科特定疾患指導管理料、慢性疼痛疾患管理料、小児悪性腫瘍患者指導管理料、耳鼻咽喉科特定疾患指導管理料、在宅時医学総合管理料、施設入居時等医学総合管理料、すべての在宅療養指導管理料、心身医学療法、通院・在宅精神療法、在宅患者連携指導料
情報通信機器を用いた医学管理に係るもの	235点　※月1回まで 初診等の「情報通信機器を用いた診療」の届出が必要

＊1、＊2：次ページ「これだけ！アドバイス」で解説

これだけ！アドバイス

● 表 2-10 の＊1 について

公費の法別番号 54（特定医療）に深く関連します。特定医療の受給者証（➡ p.45）に記載されている病名を診療する場合に算定します。また、受給者証がなくても対象疾患に対する治療を行っている場合（これに準じる疾患の患者）でも算定できます。

● 表 2-10 の＊2 について

難病の患者さんで、難病のほかに特定疾患等の疾患も同時に治療する人は少なくありません。その場合、難病外来指導管理料と特定疾患療養管理料の併用算定はできないので、どちらかを主病として算定しなければなりません。

月単位で、都合のよいほうを算定したり、その日の会計担当者によって毎月算定する管理料がバラバラにならないよう、医師に必ず確認（どちらが主病になるのか）を取って主病を確定し、どちらかで毎月算定するようにしましょう。

主病は
1つだけ

(3) B001・3　悪性腫瘍特異物質治療管理料

　悪性腫瘍特異物質治療管理料（表2-11）は、悪性腫瘍（がん）と確定診断された患者さんへの計画的な管理として、検査を行った月に算定します。

表2-11　**悪性腫瘍特異物質治療管理料の算定のポイント**

算定回数	月1回
対象者	悪性腫瘍と確定診断された患者（術後の病名も該当する）
算定点数	＜検査の項　D009 腫瘍マーカー　1～36＞ 　イ．尿中BTAに係るもの　　220点 　ロ．その他のもの　　　　　（1）　1項目　　　360点 　　　　　　　　　　　　　（2）　2項目以上　400点 　（1）または（2）を算定する場合 　　　初回加算（1回目の算定）　150点
その他の要件	・他の医学管理料との併用算定可 ・管理料を算定した日のB－V（血液採取料）は算定できない（管理料に含まれる） ・レセプトの摘要欄に、行った腫瘍マーカー名（表2-12）を明記

> 2項目以上は何項目になっても400点です

> ただし、確定月の前月に腫瘍マーカー検査を算定している場合、初回加算は算定できません

　悪性腫瘍特異物質治療管理料とは、名称の通り、悪性腫瘍が確定した患者さんに行う管理をいい、腫瘍マーカーを行った月のみの算定になります。

　なお、「がんの疑い」で行った腫瘍マーカー検査は、⑬医学管理等の項ではなく㊻検査の項で算定します。

【例】 胃がん術後の患者に CEA、CA19 － 9 検査を行った場合

⑬医学管理	400	⑬	悪性腫瘍特異物質治療管理料 （その他、2 項目以上） 　　　　　　　　　　　　　　　400 × 1 検査名（悪性腫瘍特異物質治療管理料） ：CEA、CA19 － 9

↑
実施した腫瘍マーカー名を明記

腫瘍マーカー検査を
行った患者さんは、
最初に患者さんの病名を確認し、
がん確定病名なら⑬医学管理等の項、
「疑い」病名なら⑥検査の項
になりますので、どちらに該当
するか確認してから、
それぞれの項の点数を
算定してください

表2-12 腫瘍マーカー一覧（抜粋）

腫瘍	腫瘍マーカー
食道がん	SCC
肺がん	CA-125、CEA、SLX
扁平上皮がん	CYFRA、SCC
肺小細胞がん	NSE、ProGRP
肝細胞がん	AFP、PIVKA-Ⅱ
胆道がん	CA19-9、CEA
前立腺がん	PSA、phi
神経芽細胞腫	NSE

腫瘍	腫瘍マーカー
甲状腺髄様がん	NSE
乳がん	CA-125、CA15-3、CEA、NCC-ST-439
胃がん	CEA、STN
膵がん	CA-125、CA19-9、CEA、エラスターゼ1、NCC-ST-439、SLX、STN
大腸がん	CEA、NCC-ST-439、STN
子宮頸部がん	β HCG、SCC
卵巣がん	β HCG、CA-125、STN、SLX

これだけ！
アドバイス

● **腫瘍マーカー検査は、項目によって適応病名が異なります**

患者さんの現状の確定病名に対して行うマーカー検査であれば、管理料の算定要件のみ注意すればよいのですが、新たな転移の可能性を確認するためのマーカー検査を行った場合の算定は病名に注意が必要です。

転移を疑ってマーカー検査を行った場合は、そのマーカー検査に対しての「○○がんの疑い」等の病名が必要です。

悪性腫瘍特異物質治療管理料の別の算定

悪性腫瘍の患者さんに対して腫瘍マーカー検査を実施した場合は、基本的には管理料で算定しますが、以下の条件にあてはまる場合は、悪性腫瘍確定の患者さんであっても管理料とは別に腫瘍マーカー検査の項で算定できます。

① 急性および慢性膵炎の診断および経過観察のために「エラスターゼⅠ」を実施した場合
② 肝硬変・HBs抗原陽性の慢性肝炎またはHCV抗体陽性の慢性肝炎について「AFP」「PIVKA−Ⅱ」を実施した場合
③ 子宮内膜症の診断または治療前後の「CA−125」「CA−602」を実施した場合
④ 家族性大腸腺腫症の患者さんに対して「CEA」を実施した場合

条件を満たした場合、悪性腫瘍特異物質治療管理料と、腫瘍マーカー検査の両方を同時に算定することも可能です。

診療科によっては、あてはまる項目があると思いますので、勤め先のクリニックでよく行う検査がある場合は覚えておきましょう。

(4) B001・2　特定薬剤治療管理料1　470点 ※1と2がありますが、ここでは1の説明を行います

特定薬剤治療管理料Ⅰは、対象疾患に対しての治療を行う患者さんの投薬に対する血中濃度を測定し、その結果に基づいた当該薬剤の投与量などを精密に管理した場合に、月1回に限り算定できます。

● 特定薬剤治療管理料１の算定のポイント

- ・算定４か月目以降で算定点数が 50/100 になる薬剤と、ならない薬剤があります。
- ・血中濃度測定を月２回以上行っても月１回の算定となります。ただし、下記①または②の条件を満たす場合はそれぞれ算定することが可能です。

　①「別の疾患に対して別の薬剤を投与」した場合
　＜①の算定例（２〜３か月目）＞
- ・心疾患（ジギタリス製剤）　　　　470 点
- ・喘息（テオフィリン製剤）　　　　470 点　　470 点× 2 ＝ 940 点

　② ２種類以上の抗てんかん剤を投与している患者について、それぞれの薬剤について血中濃度を測定した場合（抗てんかん薬のみ可能）
　＜②の算定例（２〜３か月目）＞
　てんかん（ジアゼパム製剤）　　　　470 点
　てんかん（カルバマゼピン製剤）　　470 点　　470 点× 2 ＝ 940 点

- ・血中濃度測定にかかる血液採取料は算定不可（管理料に含まれる）です。
- ・初回の算定月に初回加算 280 点を併せて算定できます。
- ・レセプトの摘要欄に血中濃度対象の薬剤名に該当するコードと初回の算定年月日を記載します。

【例】ジギタリス製剤　令和６年８月　初回　750 点（470 点＋ 280 点）の記載例

⑬医学管理	750	⑬	特定薬剤治療管理料 初回算定日令和６年８月 25 日 初回加算 （イ）心疾患患者でジギタリス製剤を投与 　　　　　　　　　　　　　　　750 × 1

紙カルテ等には「血中濃度」と書かれます

　便利な点数早見表を次のページの表 2-13 に示しました。適応病名と薬剤によって点数が異なる点に注目してください。

表2-13 点数早見表（抜粋）

対象薬剤	一般名	
ジギタリス製剤	ジゴキシン、メチルジゴキシン	
テオフィリン製剤	テオフィリン	
不整脈用剤	プロカインアミド、アプリンジン、ジソピラミド、リドカイン、ピルジカイニド塩酸塩、プロパフェノン、メキシレチン、フレカイニド、キニジン、シベンゾリンコハク酸塩、アミオダロン、ピルメノール、ベプリジル塩酸塩、ソタロール塩酸塩	
抗てんかん剤	フェノバルビタール、ニトラゼパム、プリミドン、ジアゼパム、フェニトイン、カルバマゼピン、ゾニサミド、エトスクシミド、クロバザム、バルプロ酸ナトリウム、トリメタジオン、クロナゼパム、スルチアム、ガバペンチン、レベチラセタム、トピラマート、ラモトリギン、ペランパネル、ルフィナミド	
カルバマゼピン、バルプロ酸ナトリウム	カルバマゼピン、バルプロ酸ナトリウム	
バルプロ酸ナトリウム	バルプロ酸ナトリウム	
サリチル酸系製剤	サリチル酸ナトリウム、アスピリン、エテンザミド	
メトトレキサート	メトトレキサート	
ハロペリドール製剤、ブロムペリドール製剤、治療抵抗性統合失調症治療薬	ハロペリドール、ブロムペリドール、クロザピン	
リチウム製剤	炭酸リチウム	
イマチニブ	イマチニブメシル酸塩	
ブスルファン	ブスルファン	

対象疾患	初回月	2～3か月	4か月以降
心疾患	470点＋280点	470点	235点
重症うつ血性心不全（急速飽和を行った場合）	740点（急速飽和完了日、1回に限る）		
気管支喘息、喘息性（様）気管支炎、 慢性気管支炎、肺気腫、未熟児無呼吸発作	470点＋280点	470点	235点
不整脈（継続的に投与）	470点＋280点	470点	235点
てんかん	470点＋280点	470点	
てんかん重積状態（全身性けいれん発作重積状態）	740点（重積状態の消失日、1回に限る）		
躁うつ病または躁病	470点＋280点	470点	
片頭痛	470点＋280点	470点	235点
若年性関節リウマチ、リウマチ熱、 慢性関節リウマチ（継続的に投与）	470点＋280点	470点	235点
悪性腫瘍	470点＋280点	470点	235点
統合失調症	470点＋280点	470点	235点
躁うつ病または躁病	470点＋280点	470点	235点
当該薬剤の適応疾患（慢性骨髄性白血病など）	470点＋280点	470点	235点
悪性腫瘍	470点＋280点	470点	235点

4か月目＝4回目では
ないので気をつけて！
初回月から検査していなくても
2か月目、3か月目と
数えるから2月が初回だと
4か月目は5月になります

(5) B001-3、B001-3-3 生活習慣病管理料（Ⅰ）（Ⅱ）

2024年6月の診療報酬改定により、生活習慣病管理料が再編され生活習慣病管理料（Ⅱ）が新設されました。また、特定疾患療養管理料から対象疾患であった高血圧症、糖尿病、脂質異常症（家族性高コレステロール血症を除く）の3疾病が除外され、基準を満たした保険医療機関では、この3疾病について生活習慣病管理料で算定することができるようになりました。

（Ⅰ）（Ⅱ）の算定について、どの患者さんにどちらで算定するかは、医療機関によって取り決めてもらう必要があります

● 生活習慣病管理料（Ⅰ）（Ⅱ）の比較

	生活習慣病管理料（Ⅰ）	生活習慣病管理料（Ⅱ）
算定点数 （月1回）	1. 脂質異常症を主病とする場合　：610点 2. 高血圧症を主病とする場合　：660点 3. 糖尿病を主病とする場合　：760点	333点 （情報通信機器を用いた場合：290点）
対象患者	脂質異常症、高血圧症、糖尿病を主病とする患者	
対象外患者	糖尿病を主病とし、在宅自己注射指導管理料を算定している患者。家族性高コレステロール血症を主病とする患者（特定疾患療養管理料の算定となる）	
算定できない月	初診料を算定した月	
加算点数	・血糖自己測定指導加算500点：年1回糖尿病を主病とする患者（2型糖尿病の患者であってインスリン製剤を使用していない患者に限る）に対して、血糖自己測定値に基づく指導を行った場合に加算する ・外来データ提出加算（要届出）50点：保険医療機関における診療報酬の請求状況、生活習慣病の治療管理の状況等の診療の内容に関するデータを継続して厚生労働省に提出している場合に加算する	
算定要件	・対象患者に対して、治療計画を策定し、当該治療計画に基づき、運動、休養、栄養、喫煙、家庭での体重や血圧の測定、飲酒、服薬、その他療養を行うにあたっての問題点等の生活習慣に関する総合的な治療管理を行う ・療養計画書は、計画に変更があった場合、患者または家族等から求めがあった場合に交付するとともに、変更がなくても概ね4月に1回以上は交付する ・交付した計画書の写しをカルテに添付する ・糖尿病の患者：患者の状態に応じて、年1回程度眼科の医師の診察を受けるよう指導を行う。また、歯周病の診断と治療のため、歯科受診の推奨を行う	
別に算定できない点数	・外来管理加算 ・医学管理等（糖尿病合併症管理料、がん性疼痛緩和指導管理料、外来緩和ケア管理料、糖尿病透析予防指導管理料、慢性腎臓病透析予防指導管理料を除く） ・在宅時医学総合管理料、施設入居時等医学総合管理料 ・検査、注射、病理診断	・外来管理加算 ・医学管理等（外来栄養食事指導料、集団栄養食事指導料、糖尿病合併症管理料、がん性疼痛緩和指導管理料、外来緩和ケア管理料、糖尿病透析予防指導管理料、慢性腎臓病透析予防指導管理料、ニコチン依存症管理料、療養・就労両立支援指導料、プログラム医療機器等指導管理料、診療情報提供料（Ⅰ）、電子的診療情報評価料、診療情報提供料（Ⅱ）、診療情報連携共有料、連携強化診療情報提供料、薬剤情報提供料を除く） ・在宅時医学総合管理料、施設入居時等医学総合管理料

	生活習慣病管理料（Ⅰ）	生活習慣病管理料（Ⅱ）
算定制限		生活習慣病管理料（Ⅰ）を算定した月から6月以内の期間は算定できない
施設基準	・生活習慣病管理を行うにつき必要な体制が整備されている ・患者の状態に応じ、28日以上の長期の投薬を行うこと、またはリフィル処方箋を交付することについて、当該対応が可能であることを当該保険医療機関の見やすい場所に掲示する ・治療計画に基づく総合的な治療管理は、歯科医師、薬剤師、看護師、管理栄養士等の多職種と連携して実施することが望ましい	
		・情報通信機器を用いて行う場合：厚生労働大臣が定める情報通信機器を用いた診療を行うにつき十分な体制が整備されている

STEP UP

特定疾患療養管理料との違い

生活習慣病管理料において、特定疾患療養管理料との大きな違いとしては、

・月1回までの算定

・管理料算定日の外来管理加算は算定不可（同日でも管理料を算定しない日の受診は、要件を満たせば算定可）

・初診から1か月ではなく、初診料を算定した月は算定できない

・特定疾患処方管理加算は算定できない

・4月に1回以上、療養計画書（初回は患者さんの署名が必要）を交付すること

などがあります。

内科では、
どちらの算定も
多いと思いますので、
間違いがないよう2つの
管理料のポイントを
把握しておきましょう

3 医学管理料に属するが、文書料として保険請求できるもの

医学管理料に属する科目ですが、文書料（p.68）として保険請求できるもの4つを紹介します。いずれも診療の情報を文章にして情報提供を行った場合に算定できます。

● **算定要件と点数**

B009	診療情報提供料（Ⅰ）	他保険医療機関等へ紹介するために情報提供を行った場合、その他機関へ必要な情報提供を行った場合	250点
B010	診療情報提供料（Ⅱ）	セカンドオピニオンのために情報提供を行った場合	500点
B010-2	診療情報連携共有料	歯科診療を担う保険医療機関からの求めに応じ情報を提供した場合（3月に1回に限り算定）	120点
B011	連携強化診療情報提供料	紹介元の保険医療機関からの求めに応じて情報提供を行った場合	150点

ここでは
クリニックで頻繁に扱う
診療情報提供料（Ⅰ）を
解説します

（1）診療情報提供料（Ⅰ）〔B009 250点〕

他の保険医療機関等へ紹介するために紹介状を作成した場合に算定します。

● **情報提供先施設**

主な提供先は次の通りです。

保険医療機関ごとに算定します。その他、保険医療機関でなくても算定できます。

＜主な提供先施設＞

介護老人保健施設・介護医療院・保険薬局・保健所・市区町村・指定居宅介護支援事業所・精神障害者施設・精神保健福祉センター・認知症疾患医療センター・地域包括支援センター・指定障害児相談支援事業者・学校医（大学を除く）・保育所・児童相談所・就労選択支援を行う事業所※　など

※障害者総合支援法改正に伴い、2025年10月1日以降の対象となる

● 加算対象になるもの

　加算対象になるものは表2-14の通りです。忘れがちなので、勤め先のクリニックでよくある加算は覚えておきましょう。

表2-14 診療情報提供料にかかる加算と点数

退院患者紹介加算	200点	精神科医連携加算	200点
歯科医療機関連携加算（1、2）	100点	肝炎インターフェロン治療連携加算	50点
ハイリスク妊婦紹介加算	200点	療養情報提供加算	50点
地域連携診療計画加算（要届出）	50点	検査・画像情報提供加算（要届出） 　退院患者（退院月または翌月） 　入院外の患者	200点 30点
認知症専門医療機関紹介加算	100点		
認知症専門医療機関連携加算	50点		

これだけ！
アドバイス

● 診療情報提供料（Ⅰ）で注意すべきこと4点

① 紹介先保険医療機関ごとに原則、月1回に限り算定できる

② 同一保険医療機関の内科と眼科など同時に別々に診療情報を提供しても併せて1回のみの算定となる

③ 同一医療法人等への診療情報提供料は算定できない

④ 紹介先保険医療機関を特定せずに診療情報文書（紹介状）を交付した場合には、診療情報提供料（Ⅰ）を算定できない

診療情報提供書の封筒の書き方

診療情報提供書の封筒は横書き・縦書きどちらでもよいですが、もともと保険医療機関名等が印刷されているクリニックは、横書きが多いです。

○○○○病院

△△△科　◇◇　◇◇先生御侍史(御机下)

相手側の先生には御侍史または御机下が一般的です

●●　●●様　診療情報提供書(紹介状)在中

〒○○○－○○○○　　　　　令和△.△△.△△

・・県・・市・・・・・・・・・
　　　　　■■■■■クリニック
TEL　○○○－○○○○

患者さんの名前と診療情報提供書または紹介状在中と書きます

むやみに開けられることがないように、しっかりとシールやのりで閉じた状態を確認して患者さんに渡します

＜医療機関宛（先生の名前なし）の場合＞

「○○病院 △△科 外来御担当医先生御侍史」「□□クリニック 御担当医先生御侍史」などと書きます。

＜院長など役職がある先生の場合＞

「○○病院 △△科 院長 ●●先生御侍史」「□□クリニック 院長 ●●先生御侍史」など、保険医療機関名と所属（科など）の間や先生の名前の前に役職を入れて書きます。

(2) B012　傷病手当金意見書交付料　100点

　傷病手当金意見書交付料は、健康保険法により、患者さんが傷病手当金の交付を受けるために医師が交付した場合に算定します。

　ポイントは、傷病手当金意見書交付料を算定した場合は明細書（レセプト）の摘要欄に交付年月日を記載することです。感染症法第37条の2（結核医療費助成）による医療を受けるべき患者さんに対して、公費負担申請のために必要な診断書の記載を行った場合は、傷病手当金意見書交付料の所定点数の100分の100を、さらに被保険者である患者さんについて、この申請手続に協力して保険医療機関が代行した場合（協力料）は、同じく傷病手当金意見書交付料の所定点数の100分の100を算定できます。

これだけ！アドバイス

所定点数の100分の100を算定するとは、

100 点（所定点数）$\times \dfrac{100}{100} = 100$ 点を加算する、つまり所定点数と同じ点数を加算するということです。

例1：500点（所定点数）の100分の100を算定

➡　$500 \times \dfrac{100}{100} = 500$ 点を加算する

例2：500点（所定点数）の100分の40を算定

➡　$500 \times \dfrac{40}{100} = 200$ 点を加算する

傷病手当金意見書交付料は、傷病手当金を受給できる
被保険者が死亡したあとでも請求できる

被保険者が死亡したあとでも、その遺族等が当該傷病手当金を受給するために意見書の交付を求め、医師・歯科医師が意見書を交付した場合は、当該遺族等に対する療養の給付として請求できます。なお、この場合において、レセプトの摘要欄に「相続」と表示させ、また、傷病名欄には、遺族等がほかに療養の給付を受けていない場合は意見書の対象となった傷病名を、ほかに療養の給付を受けている場合は遺族自身の傷病名と意見書の対象となった傷病名の両方を記載します。知識として覚えておきましょう。

傷病手当金って
なんでしたっけ？

健康保険の被保険者が
病気で休業中十分な報酬を
受けられない場合に
支給されるものよ

（3）B013　療養費同意書交付料　100点

　療養費同意書交付料は、原則として当該疾病に関わる主治医が診察に基づき、療養の給付を行うことが困難であると認めた患者に対し、あん摩・マッサージ・指圧、はり、きゅうの施術に関する同意書または診断書（以下、「同意書等」）を交付した場合に算定します。

　あん摩・マッサージ・指圧の施術に関する療養費の支給対象となる適応症は、診断名によることなく筋麻痺、関節拘縮（こうしゅく）等であって、医療上マッサージが必要とみなされれば支給対象とされており、同一疾病で保険医療機関の治療を受けていても併用は認められています。

　はり、きゅうの施術に関する療養費の支給対象となる疾病は、慢性病であって医師による適切な治療手段がない、神経痛・リウマチ・頸腕症候群（けいわん）・五十肩・腰痛症および頸椎捻挫後遺症（けいついねんざ）等の慢性的な疼痛を症状とする疾患に限り支給対象とされています。これらの疾病で主治医より同意書の交付を受けて施術を受けた場合は、保険者は医師による適切な治療手段のないものとして療養費の支給対象として差し支えないものとされています。ただし、同一疾病で保険医療機関の治療を受けている場合は（診察、検査および療養費同意書交付を除く）認められません。

　同意書交付から６月（変形徒手矯正術（へんけいとしゅきょうせい）に関するものについては１月）を経過してさらに施術を受ける必要がある場合、再度交付でき、保険請求も行えます（ただし、なくした等の再発行は保険請求できません）。

> 療養費同意書交付料を算定した場合は、レセプトの摘要欄に交付年月日と同意書等の病名欄に記載された病名を記載してください。また、病名はレセプトの病名欄にも同じ病名が記載されていることが必須です

4 | ⑭在宅医療

在宅医療で発生する算定項目は大きく「在宅患者診療・指導料」と「在宅療養指導管理料」の2つに分かれます。算定の対象がまったく異なる点が特徴です。それぞれの傾向に注目するのが、理解への早道です。

在宅患者診療・指導料

在宅にて療養中の患者さんに対して訪問診療を行った場合に算定されるのが、在宅患者診療・指導料です。

医師が行う往診料、在宅患者訪問診療料、救急搬送診療料やコ・メディカル（医師以外の看護師や薬剤師等）が行う在宅患者訪問看護・指導料、在宅患者訪問薬剤管理指導料などがこれに該当します。ここではよく算定する往診料と、在宅患者訪問診療料について説明します。

2つはよく
似ていますね。

往診料と
在宅患者訪問診療料の
どちらで算定すればよいか
それぞれの性質を
知っておきましょう

1 C000　往診料

患者さんまたは看護等にあたる者が保険医療機関に直接または電話等で往診を求め、医師が必要である状態と認めた場合に患家に赴いた場合は往診料を算定します。基本的には非定期的な訪問となります。

表2-15 往診料の所定点数と加算の点数

		点数				備考
往診料		720 点				—
		①強化型支援診^{*1}・支援病^{*2}		②強化型以外の支援診・支援病	③ ①、②以外	—
		有床	無床			—
別に定める患者^{*3}	緊急往診加算	850 点	750 点	650 点	325 点	—
	夜間・休日加算	1,700 点	1,500 点	1,300 点	650 点	—
	深夜加算	2,700 点	2,500 点	2,300 点	1,300 点	—
	在宅緩和ケア充実診療所・病院加算（要届出）	100 点	100 点	—	—	・上記①の保険医療機関のみ算定できる ・緊急、夜間・休日、深夜のみに加算
	在宅療養実績加算1（要届出）	—	—	75 点	—	・上記②の保険医療機関のみ算定できる ・緊急、夜間・休日、深夜のみに加算
	在宅療養実績加算2（要届出）	—	—	50 点	—	
別に定める患者以外	緊急往診加算	325 点				—
	夜間・休日加算	405 点				—
	深夜加算	485 点				—
患家診療時間加算		100 点				1 時間超える場合に 30 分ごと
在宅ターミナルケア加算（有料老人ホーム等に入居・それ以外）		6,500 点	5,500 点	4,500 点	3,500 点	在宅で死亡した患者で、死亡日および死亡日前 14 日以内の計 15 日間に B004 退院時共同指導料1を算定し、かつ往診を行った場合
	在宅緩和ケア充実診療所・病院加算（要届出）	1,000 点	1,000 点	—	—	・上記①の保険医療機関のみ算定できる ・緊急、夜間・休日、深夜のみに加算
	在宅療養実績加算1（要届出）	—	—	750 点	—	・上記②の保険医療機関のみ算定できる ・緊急、夜間・休日、深夜のみに加算
	在宅療養実績加算2（要届出）	—	—	500 点	—	
	酸素療法加算	2,000 点				がん患者に対し死亡月に酸素療法を行った場合

➡ 次ページにつづく

表2-15 往診料の所定点数と加算の点数（つづき）

	点数			備考
	①強化型支援診*1・支援病*2		②強化型以外の支援診・支援病	③①、②以外	―
	有床	無床			―
看取り加算	3,000 点				死亡日および死亡日前14日以内の計15日間に退院時共同指導料を行ったうえ、死亡日に往診して患家で看取った場合に算定できるが、事前に患者または家族に対して療養上等の説明を十分に行い、同意を得る必要がある
死亡診断加算	200 点				・死亡日に往診または訪問診療を行い死亡診断を行った場合 ・看取り加算と併算定できない
往診時医療情報連携加算	200 点				支援診・支援病が、平時から連携している支援診・支援病以外の医療機関で訪問している患者に往診を実施した場合に算定できる
介護保険施設等連携往診加算（要届出）	200 点				介護保険施設等の協力医療機関が入所者の急変等に伴い往診した場合
同一日併算定不可	在宅患者訪問診療料（Ⅰ）、在宅患者訪問診療料（Ⅱ）、在宅患者訪問看護・指導料、同一建物居住者訪問看護・指導料、在宅患者訪問リハビリテーション指導管理料、在宅患者訪問薬剤管理指導料、在宅患者訪問栄養食事指導料、精神科訪問看護・指導料、地域包括診療料、認知症地域包括診療料、開放型病院共同指導料（Ⅰ）、退院時共同指導料1、外来在宅共同指導料2				

＊1：在宅療養支援診療所　＊2：在宅療養支援病院

＊3：別に定める患者とは次のいずれかを指す。①過去60日以内の自院または連携する他の医療機関で在宅患者訪問診療料または在宅がん医療総合診療料を算定している患者、②自院の外来において継続的に診療している患者、③連携体制を構築している老健、介護医療院、特養に入所する患者

在宅は幅広くて
本当に苦手

医師が患家へ
出向く場合、定期的に伺う
「在宅患者訪問診療料」と
患者等の求めに応じて伺う
「往診料」の算定の違いを
理解しておきましょう
（➡ p.144）

これだけ！
アドバイス

2024年6月から往診時の時間外に対する加算等について「別に定める患者」と「別に定める患者以外」に分けられました。

「別に定める患者以外」とは、過去60日以内に訪問診療していない患者さんや外来で継続的に診療していない患者さん等が該当します。

また、今まで在宅患者訪問診療料にしか設定されていなかった在宅ターミナルケア加算と看取り加算も条件を満たせば往診時の加算として算定することが可能となりました。

2 C001 在宅患者訪問診療料（Ⅰ）

在宅患者訪問診療料（Ⅰ）は、在宅で療養中の通院が困難な患者さんに対して、定期的に患家へ訪問して診療を行った際に算定します。

訪問は患家だけでなく、有料老人ホーム等の入所者（同一建物居住者）も同じく算定が可能ですが、要件によって、算定する点数が異なります。

在宅患者訪問診療料には（Ⅰ）（Ⅱ）があります。ここでは（Ⅰ）について（併設でない保険医療機関の場合について）のみ見ていきましょう（在宅患者訪問診療料（Ⅱ）は、有料老人ホーム等に併設されている保険医療機関が施設に入居している患者さんに対して診療を行った際の算定になります）。

在宅患者訪問診療料（Ⅰ）は、さらに在宅患者訪問診療料1と2に分かれます（表2-16）。1と2のそれぞれでのみ加算される項目があるので注意が必要です（表2-17）。それぞれの違いを理解するには、往診と訪問診療の違いと主な性質を押さえることが重要です（表2-18）。

表2-16 在宅患者訪問診療料（Ⅰ）の1と2の違い

	在宅患者訪問診療料1（1日につき）在宅で療養を行っている患者であって通院が困難なものに対し、患者の同意を得て、計画的な医学管理の下に定期的に訪問して診療を行った場合（併設される保険医療機関が、有料老人ホーム等に入居している患者に対して行った場合を除く）	在宅患者訪問診療料2（月1回、6月を限度）在宅時医学総合管理料、施設入居時等医学総合管理料、在宅がん医療総合診療料の算定要件を満たす他院から紹介された患者に対し、患者の同意を得て、計画的な医学管理の下に訪問診療を行った場合（文書以外に電話も含む）
算定点数	イ　同一建物居住者以外　　888点 ロ　同一建物居住者　　　　213点	イ　同一建物居住者以外　　884点 ロ　同一建物居住者　　　　187点
算定要件	週3回を限度に1日1回算定（ただし、別に厚生労働大臣が定める疾病等の患者は制限なし）（同一の患者について、イおよびロを併せて算定する場合において同じ）	・訪問診療開始月から6月を限度として、月1回算定（別に厚生労働大臣が定める疾病等の患者に対する場合を除く） ・同一診療科でも算定可能
患家診療時間加算	＋100点（1時間を超える場合に30分ごと）	
乳幼児加算 （1日につき）	＋400点（6歳未満の患者）	
同一日 併算定不可	初診料、再診料、往診料（ただし訪問診療を行ったあと、患者の病状の急変等により往診を行った場合は算定可能）、在宅患者訪問看護・指導料、同一建物居住者訪問看護・指導料、在宅患者訪問リハビリテーション指導管理料、在宅患者訪問薬剤管理指導料、在宅患者訪問栄養食事指導料、在宅患者訪問褥瘡管理指導料、精神科訪問看護・指導料、小児科外来診療料、地域包括診療料、認知症地域包括診療料、小児かかりつけ診療料、開放型病院共同指導料（Ⅰ）、退院時共同指導料1	

表 2-17 在宅患者訪問診療料（Ⅰ）の1のみにかかる加算

在宅ターミナルケア加算			
イ 有料老人ホーム等に入居する患者以外の患者			
①強化型支援診・支援病	有床	6,500 点	在宅で死亡した患者（往診または訪問診療を行ったあと、24 時間以内に在宅以外で死亡した場合も含む）に対して、その死亡日および死亡日前 14 日以内の計 15 日間に、2 回以上の往診もしくは訪問診療を実施した場合、または退院時共同指導料1を算定し、かつ訪問診療を実施した場合
	無床	5,500 点	
②強化型以外の支援診・支援病		4,500 点	
③上記①、②以外		3,500 点	
ロ 有料老人ホーム等に入居する患者			
①強化型支援診・支援病	有床	6,500 点	上記イと同様
	無床	5,500 点	
②強化型以外の支援診・支援病		4,500 点	
③上記①、②以外		3,500 点	
イ、ロに共通	在宅緩和ケア充実診療所・病院加算（要届出）	1,000 点	上記①の保険医療機関のみ算定できる
	在宅療養実績加算 1（要届出）	750 点	上記②の保険医療機関のみ算定できる
	在宅療養実績加算 2（要届出）	500 点	
	酸素療法加算	2,000 点	がん患者に対し死亡月に酸素療法を行った場合
	看取り加算	3,000 点	事前に患者またはその家族等に対して、療養上の不安等を解消するために十分な説明と同意を行ったうえで死亡日に往診または訪問診療を行い、在宅で看取った場合
	死亡診断加算	200 点	・死亡日に往診または訪問診療を行い死亡診断を行った場合 ・看取り加算と併算定できない
	在宅医療 DX 情報活用加算	10 点 （月 1 回）	医療 DX 推進に係る体制で別に厚生労働大臣が定める施設基準に適合しているものとして届出を行った場合

表2-18 往診と訪問診療の違いと主な性質

	往診料	在宅患者訪問診療料（I）の1
算定点数	720点	イ　888点（同一建物居住者以外） ロ　213点（同一建物居住者）
算定基準	患者またはその家族等からの求めに応じて出向く場合	計画的な医学管理の下、定期的に患家に出向く場合
訪問時間における加算	緊急、夜間・休日、深夜の加算	加算なし
診療時間の加算	あり	あり
死亡診断加算	あり	あり
在宅ターミナルケア加算	あり	あり
診療の併算定	初診料・再診料は算定可	再診料・往診料は包括されるので算定不可（初診時は往診料を算定）
1週間の訪問回数	制限なし	週3回まで（ただし、急性増悪や末期がん、難病等の患者を除く）
1日の算定回数	1日2回以上算定可	1日に1回のみ算定 ただし、往診料を算定した翌日の訪問診療は算定不可（支援診・支援病は算定可）

これだけ！
アドバイス

① 往診料のみ診察料（初診、再診、条件が合えば外来管理加算）と併せて算定ができます。時間外等の場合は、診察料に時間外加算が算定できます。

② 訪問診療等を行ったあとに、急変により往診を行った場合でも算定できます（同日でも）。

③ 医師が行う以外の指導料は（在宅患者訪問看護等）基本的にレセプトの実日数（医師が診察を行った日数）には反映しません。指導料の算定はしますが、実日数は0日になります。

ここまで OK？

 在宅のあるクリニックは初めてなので、ちょっと自信ないです

 この表を見ながらであればなんとかできそうです

 じゃあ、例題をやってみましょうか

例題 自宅へ往診依頼があり、往診を行ったあと定期的な訪問診療を 2 日間行った場合（実日数 3 日）の算定はどうなるでしょうか？

ヒント

　　往診時は往診料＋診察料が算定できます

答え

⑪初診	1 回		

⑭ 在宅	往診	1 回	720	⑭	※往診料	720 × 1
	夜間	回			※在宅患者訪問診療料（Ⅰ）	
	深夜・救急	回			（同一建物居住者以外）	
	在宅患者訪問診療料	2 回	1776		（1 日につき）	888 × 2
	その他					
	薬剤					

 どうだった？

 なんとかできました。でも表ナシじゃ厳しいです

 ……

 まあ、気にしないで。そんなすぐにできるほうがおかしいから

3 ## 在宅患者訪問診療料（I）算定時に算定できる管理料（要届出）

「C002 在宅時医学総合管理料」と「C002-2 施設入居時等医学総合管理料」

　別に厚生労働大臣が定める施設基準に適合し、届け出た保険医療機関において、通院が困難で在宅で療養を行っている患者さんに対して患者さんの同意を得て定期的な訪問診療を行っている場合に算定できます。「C002 在宅時医学総合管理料」は主に自宅（戸建て住宅やマンション等集合住宅）への訪問時に算定し、「C002-2 施設入居時等医学総合管理料」はサービス付高齢者向け住宅・有料老人ホーム・認知症高齢者グループホーム等の訪問時に算定します。

　届け出た施設基準や訪問回数、訪問人数によって点数が異なります（表 2-19）。

　このほかに介護保険の算定も同時にできますが、ここでは医科のみ説明します。介護保険は、介護保険証での請求となります。

届け出て算定をしている場合、勤め先のクリニックは①、②、③どれを算定しているのか、きちんと把握する必要があります

表2-19 施設基準や訪問回数、訪問人数ごとの算定点数一覧
（A）在宅時医学総合管理料（月1回）

			訪問診療の回数	単一建物診療患者数				
				1人	2〜9人	10〜19人	20〜49人	50人以上
① 強化型支援診・支援病	有床	月2回以上	別に定める状態の患者*	5,385点	4,485点	2,865点	2,400点	2,110点
			上記以外	4,485点	2,385点	1,185点	1,065点	905点
			うち1回以上情報通信機器を用いた場合	3,014点	1,670点	865点	780点	660点
		月1回	別に定める状態の患者	2,745点	1,485点	765点	670点	575点
			2月に1回に限り情報通信機器を用いた場合	1,500点	828点	425点	373点	317点
	無床	月2回以上	別に定める状態の患者	4,985点	4,125点	2,625点	2,205点	1,935点
			上記以外	4,085点	2,185点	1,085点	970点	825点
			うち1回以上情報通信機器を用いた場合	2,774点	1,550点	805点	720点	611点
		月1回		2,505点	1,365点	705点	615点	525点
			2月に1回に限り情報通信機器を用いた場合	1,380点	768点	395点	344点	292点
② 強化型以外の支援診・支援病		月2回以上	別に定める状態の患者	4,585点	3,765点	2,385点	2,010点	1,765点
			上記以外	3,685点	1,985点	985点	875点	745点
			うち1回以上情報通信機器を用いた場合	2,554点	1,450点	765点	679点	578点
		月1回		2,285点	1,265点	665点	570点	490点
			2月に1回に限り情報通信機器を用いた場合	1,270点	718点	375点	321点	275点
③ 上記①、②以外		月2回以上	別に定める状態の患者	3,435点	2,820点	1,785点	1,500点	1,315点
			上記以外	2,735点	1,460点	735点	655点	555点
			うち1回以上情報通信機器を用いた場合	2,014点	1,165点	645点	573点	487点
		月1回		1,745点	980点	545点	455点	395点
			2月に1回に限り情報通信機器を用いた場合	1,000点	575点	315点	264点	225点

＊：下記の（1）の疾病等に罹患している状態または（2）の処置等を実施している状態をいう
（1）末期の悪性腫瘍、スモン、難病法に規定する指定難病、後天性免疫不全症候群、脊髄損傷、真皮を超える褥瘡
（2）気管切開の管理、気管カニューレの使用、ドレーンチューブまたは留置カテーテルの使用、人工肛門・人口膀胱の管理、在宅自己腹膜灌流の実施、在宅血液透析の実施、在宅酸素療法の実施、在宅中心静脈栄養法の実施、在宅成分栄養経管栄養法の実施、在宅人工呼吸の実施、在宅自己導尿の実施、植込型脳・脊髄刺激装置による疼痛管理、肺高血圧症であって携帯型精密輸液ポンプによるプロスタグランジンI_2製剤の投与

表2-19 施設基準や訪問回数、訪問人数ごとの算定点数一覧
（B）施設入居時等医学総合管理料（月1回）

		訪問診療の回数		単一建物診療患者数				
				1人	2～9人	10～19人	20～49人	50人以上
① 強化型支援診・支援病	有床	月2回以上	別に定める状態の患者	3,885点	3,225点	2,865点	2,400点	2,110点
			上記以外	3,185点	1,685点	1,185点	1,065点	905点
			うち1回以上情報通信機器を用いた場合	2,234点	1,250点	865点	780点	660点
		月1回	別に定める状態の患者	1,965点	1,065点	765点	670点	575点
			2月に1回に限り情報通信機器を用いた場合	1,110点	618点	425点	373点	317点
	無床	月2回以上	別に定める状態の患者	3,585点	2,955点	2,625点	2,205点	1,935点
			上記以外	2,885点	1,535点	1,085点	970点	825点
			うち1回以上情報通信機器を用いた場合	2,054点	1,160点	805点	720点	611点
		月1回		1,785点	975点	705点	615点	525点
			2月に1回に限り情報通信機器を用いた場合	1,020点	573点	395点	344点	292点
② 強化型以外の支援診・支援病		月2回以上	別に定める状態の患者	3,285点	2,685点	2,385点	2,010点	1,765点
			上記以外	2,585点	1,385点	985点	875点	745点
			うち1回以上情報通信機器を用いた場合	1,894点	1,090点	765点	679点	578点
		月1回		1,625点	905点	665点	570点	490点
			2月に1回に限り情報通信機器を用いた場合	940点	538点	375点	321点	275点
③ 上記①、②以外		月2回以上	別に定める状態の患者	2,435点	2,010点	1,785点	1,500点	1,315点
			上記以外	1,935点	1,010点	735点	655点	555点
			うち1回以上情報通信機器を用いた場合	1,534点	895点	645点	573点	487点
		月1回		1,265点	710点	545点	455点	395点
			2月に1回に限り情報通信機器を用いた場合	760点	440点	315点	264点	225点

※単一建物診療患者が「10～19人」「20～49人」「50人以上」の区分において「自院の直近3月間の訪問診療回数と、特別の関係の医療機関（2024年3月31日までに開設した医療機関を除く）の直近3月間の訪問診療の回数が合計2,100回未満である」という基準を満たせない場合はそれぞれ所定点数の100分の60で算定することとされた（ある一定の条件を満たせばその限りではない）

表2-20 （A）在宅時医学総合管理料、（B）施設入居時等医学総合管理科に共通してかかる加算対象と点数

処方箋無交付加算	300 点
在宅移行早期加算（3 月を限度）	100 点
頻回訪問加算 （該当の患者さんへ月 4 回以上訪問）	初回：800 点 2 回目以降：300 点
包括的支援加算	150 点
在宅データ提出加算（要届出）	50 点
在宅医療情報連携加算（要届出）	100 点

（A）は自宅、（B）は入居している施設のイメージで、それによって点数も異なります。どちらの表の点数で算定しなければいけないか注意が必要です

在宅時医学総合管理料・施設入居時等医学総合管理料に含まれ算定できない項目

　該当の患者さんについて、在宅時医学総合管理料または施設入居時等医学総合管理料が算定されている月においては、下記のものは所定点数に含まれ算定できません。

　　特定疾患療養管理料、小児特定疾患カウンセリング料、小児科療養指導料、てんかん指導料、難病外来指導管理料、皮膚科特定疾患指導管理料、小児悪性腫瘍患者指導管理料、糖尿病透析予防指導管理料、慢性腎臓病透析予防指導管理料、在宅患者連携指導料、在宅がん医療総合診療料、生活習慣病管理料（Ｉ）（Ⅱ）、訪問看護指示料の衛生材料等提供加算、在宅寝たきり患者処置指導管理料、精神科訪問看護指示料の衛生材料等提供加算、創傷処置、爪甲除去、穿刺排膿後薬液注入、喀痰吸引、干渉低周波去痰器による喀痰排出、ストーマ処置、皮膚科軟膏処置、膀胱洗浄、後部尿道洗浄、留置カテーテル設置、導尿、介達牽引、矯正固定、変形機械矯正術、消炎鎮痛等処置、腰部または胸部固定帯固定、低出力レーザー照射、肛門処置、鼻腔栄養、精神科在宅患者支援管理料、投薬

情報通信機器を用いた診療に係る評価

2022年度の診療報酬改定により、在宅時（施設入居時等）医学総合管理料について、訪問による対面診療と情報通信機器を用いた診療を組み合わせて実施した場合の評価を新設するとともに、オンライン在宅管理料が廃止されました。初診料等の「情報通信機器を用いた診療」に係る届出を行った保険医療機関に対して要件を満たした場合に算定できます。

図2-3 在宅時（施設入居時等）医学総合管理料における情報通信機器を用いた診療の算定イメージ

【例1】月2回の訪問診療を行っており、うち1回は情報通信機器を用いた診療の場合

- 5/11　対面の場合　　　　　　　　　　在宅患者訪問診療料
- 5/25　情報通信機器の場合　　　在宅時（施設入居時等）医学総合管理料
　　　　　　　　　　　　　　　　（うち1回以上情報通信機器を用いた場合）

【例2】月1回の訪問診療を行っている場合で、うち2か月目は情報通信機器を用いた診療を行っている場合

- 5月　対面の場合　　　　　　　　　　在宅患者訪問診療料

　　　　　　　　　　　　　　　　　　＋

　　　　　　　　　　　　　在宅時（施設入居時等）医学総合管理料　　　← ┌─────┐
　　　　　　　　　　　　（2月に1回に限り情報通信機器を用いた場合）　　　│ 月1回で │
　　　　　　　　　　　　　　　　　　　　　　　　　　　　　　　　　　　　│ 算定 │
　　　　　　　　　　　　　　　　　　　　　　　　　　　　　　　　　　　└─────┘
- 6月　情報通信機器の場合　　　　在宅時（施設入居時等）医学総合管理料　　←
　　　　　　　　　　　　　　　（2月に1回に限り情報通信機器を用いた場合）

※情報通信機器を用いた診療を行った場合、基本診療料は在宅時（施設入居時等）医学総合管理料に包括されており、別に算定できない

※訪問診療と情報通信機器を用いた診療を組み合わせて開始する場合、初回は訪問診療で実施し算定する。原則として、2月連続で訪問診療を行わず、情報通信機器を用いた診療のみを実施することはできない

例題 強化型以外の支援診・支援病であって、単一建物患者4名（施設入所者で別に定める状態の患者以外の患者）に下記の訪問診療を行った場合の算定はどうなるでしょうか？
・3日の訪問時、4名に診療を行った
・17日の訪問時、1名に診療を行った

答え

⑭在宅				⑭			
	往診		回		※在宅患者訪問診療料（Ⅰ）1		
	夜間		回		（同一建物居住者）（1日につき）		
	深夜・救急		回		（3日）	213	× 1
	在宅患者訪問診療	2回	1101		※在宅患者訪問診療料（Ⅰ）1		
	その他		1385		（同一建物居住者以外）（1日につき）		
	薬剤				（17日）	888	× 1
					※施設入居時等医学総合管理料2		
					（在支診等）（ロ）		
					（月2回以上・	1385	× 1
					単一建物診療患者2〜9人）		
					単一建物診療患者数（施医総管）：		
					4人[*1]		
					往診または訪問診療年月日		
					（施医総管）：令和6年6月3日[*2]		
					往診または訪問診療年月日		
					（施医総管）：令和6年6月17日[*2]		

＊1：単一建物診療患者が2人以上の場合は人数をコメントする
＊2：往診または訪問診療を行った日をすべてコメントする

同日に複数人を
一度に訪問した場合と
1人だけを訪問した場合とでは、
在宅患者訪問診療料の点数は異なります。
ただし、在宅時医学総合管理料や
施設入居時等医学総合管理料は
訪問した日の人数に関係なく、
単一建物診療患者の人数で
算定します。

在宅療養指導管理料

1 在宅療養指導管理料とは

在宅療養指導管理料（表2-21）は、来院した患者さんまたは訪問診療の際に在宅療養についての指導をした場合に算定します。在宅療養についての指導をした場合に算定し、併せて在宅療養に必要な薬剤や材料を支給（または貸与）した場合は在宅療養指導管理材料（表2-22）、薬剤料、特定保険医療材料料を加算します。

⑭在宅療養指導管理料と⑬医学管理等の指導料との区別を苦手とする医療事務員が多いです。

$$\boxed{\begin{array}{l}\text{在宅療養}\\\text{指導料}\end{array}} = \begin{array}{l}\text{在宅療養}\\\text{指導管理料}\end{array} + \text{各加算} + \text{薬剤料} + \begin{array}{l}\text{特定保険}\\\text{医療材料料}\end{array}$$

算定のポイント

算定はどれも月1回（月が変わったら算定可）です。同一月に2以上の指導管理を行った場合は、主たる指導管理の所定点数のみ算定します（ただし、それぞれの加算については算定できます）。

在宅療養指導管理料と⑬医学管理等の中の表2-23の指導料とは同一日に併せて算定できません（基本的には高いほうで算定します）。

また、在宅療養指導管理料を退院時（入院は退院日のみ算定可）に算定した場合は、退院する日に属する月に行った外来の指導管理の費用は別に算定できないことにも注意が必要です。

表2-21 在宅療養指導管理料

C	第2部　在宅医療	C	第2部　在宅医療
C100	退院前在宅療養指導管理料	C109	在宅寝たきり患者処置指導管理料
C101	在宅自己注射指導管理料（★）	C110	在宅自己疼痛管理指導管理料
C101-2	在宅小児低血糖症患者指導管理料	C110-2	在宅振戦等刺激装置治療指導管理料
C101-3	在宅妊娠糖尿病患者指導管理料	C110-3	在宅迷走神経電気刺激治療指導管理料
C102	在宅自己腹膜灌流指導管理料	C110-4	在宅仙骨神経刺激療法指導管理料
C102-2	在宅血液透析指導管理料	C110-5	在宅舌下神経電気刺激療法指導管理料
C103	在宅酸素療法指導管理料	C111	在宅肺高血圧症患者指導管理料
C104	在宅中心静脈栄養法指導管理料	C112	在宅気管切開患者指導管理料
C105	在宅成分栄養経管栄養法指導管理料	C112-2	在宅喉頭摘出患者指導管理料
C105-2	在宅小児経管栄養法指導管理料	C114	在宅難治性皮膚疾患処置指導管理料
C105-3	在宅半固形栄養経管栄養法指導管理料	C116	在宅植込型補助人工心臓（非拍動流型）指導管理料
C106	在宅自己導尿指導管理料	C117	在宅経腸投薬指導管理料
C107	在宅人工呼吸指導管理料	C118	在宅腫瘍治療電場療法指導管理料
C107-2	在宅持続陽圧呼吸療法指導管理料（★）	C119	在宅経肛門的自己洗腸指導管理料
C107-3	在宅ハイフローセラピー指導管理料	C120	在宅中耳加圧療法指導管理料
C108	在宅麻薬等注射指導管理料	C121	在宅抗菌薬吸入療法指導管理料
C108-2	在宅腫瘍化学療法注射指導管理料		
C108-3	在宅強心剤持続投与指導管理料		
C108-4	在宅悪性腫瘍患者共同指導管理料		

（★）の項目には、情報通信機器を用いた在宅療養指導管理料が追加され、初診料等の「情報通信機器を用いた診療」の届出を行った保険医療機関に対して、算定要件を満たした在宅療養指導管理料の点数をそれぞれ算定することができます

表2-22　在宅療養指導管理材料加算

C	第2部　在宅医療
C150	血糖自己測定器加算
C151	注入器加算
C152	間歇注入シリンジポンプ加算
C152-2	持続血糖測定器加算
C152-3	経腸投薬用ポンプ加算
C152-4	持続皮下注入シリンジポンプ加算
C153	注入器用注射針加算
C154	紫外線殺菌器加算
C155	自動腹膜灌流装置加算
C156	透析液供給装置加算
C157	酸素ボンベ加算
C158	酸素濃縮装置加算
C159	液化酸素装置加算
C159-2	呼吸同調式デマンドバルブ加算
C160	在宅中心静脈栄養法用輸液セット加算
C161	注入ポンプ加算
C162	在宅経管栄養法用栄養管セット加算

C	第2部　在宅医療
C163	特殊カテーテル加算
C164	人工呼吸器加算
C165	在宅持続陽圧呼吸療法用治療器加算
C166	携帯型ディスポーザブル注入ポンプ加算
C167	疼痛等管理用送信器加算
C168	携帯型精密輸液ポンプ加算
C168-2	携帯型精密ネブライザ加算
C169	気管切開患者用人工鼻加算
C170	排痰補助装置加算
C171	在宅酸素療法材料加算
C171-2	在宅持続陽圧呼吸療法材料加算
C171-3	在宅ハイフローセラピー材料加算
C172	在宅経肛門的自己洗腸用材料加算
C173	横隔神経電気刺激装置加算
C174	在宅ハイフローセラピー装置加算
C175	在宅抗菌薬吸入療法用ネブライザ加算

表2-23　在宅療養指導管理料と同一日に併せて算定できない医学管理料

B000	特定疾患療養管理料	B001・8	皮膚科特定疾患指導管理料
B001・1	ウイルス疾患指導料	B001・12	心臓ペースメーカー指導管理料
B001・4	小児特定疾患カウンセリング料	B001・17	慢性疼痛疾患管理料
B001・5	小児科療養指導料	B001・18	小児悪性腫瘍患者指導管理料
B001・6	てんかん指導料	B001・21	耳鼻咽喉科特定疾患指導管理料
B001・7	難病外来指導管理料（在宅自己注射指導管理料との併算定不可）	B001・27	糖尿病透析予防指導管理料

2 C101 在宅自己注射指導管理料

　よく算定する在宅療養指導管理料として、在宅で対象の薬の自己注射を行う患者さんに対して、在宅自己注射に関する指導・管理を行った場合に月に1回算定する、在宅自己注射指導管理料があります（表2-24）。

表2-24　在宅自己注射指導管理料

算定点数	在宅自己注射指導管理料　※カッコ内は情報通信機器を用いた場合の点数 1. 複雑な場合　　　　　　　　　1,230点　（1,070点） 　※複雑な場合：間歇注入シリンジポンプを用いて自己注射を行っている患者 2.「1」以外の場合 イ　月27回以下の場合　　　　　650点　（566点） ロ　月28回以上の場合　　　　　750点　（653点）
加算	血糖自己測定器加算[1] 導入初期加算[2] 注入器加算（院内）[3] 注入器用注射針加算（院内）[3] 間歇注入シリンジポンプ加算 バイオ後続品導入初期加算 持続血糖測定器加算 持続皮下注入シリンジポンプ加算 注入ポンプ加算
算定要件等	在宅自己注射指導管理料 ・月に実施する注射の総回数に応じて算定 ・難病外来指導管理料と併算定できる（「1」以外の場合に限る）
別に算定できない項目	・注射の外来化学療法加算（対象薬剤の場合） ・特定疾患療養管理料、ウイルス疾患指導料、小児特定疾患カウンセリング料、小児科療養指導料、てんかん指導料、難病外来指導管理料（「1」のみ）、皮膚科特定疾患指導管理料、慢性疼痛疾患管理料、小児悪性腫瘍患者指導管理料、耳鼻咽喉科特定疾患指導管理料、心身医学療法、小児科外来診療料、小児かかりつけ診療料、他の在宅療養指導管理料、生活習慣病管理料（I）（II）（糖尿病を主病とする場合）、外来腫瘍化学療法診療料 ・外来受診時：本管理料にかかる皮内、皮下および筋肉内注射、静脈内注射の費用（薬剤、特定保険医療材料を含む）（ただし、緊急時は除く） ・在宅患者訪問診療料（I）または在宅患者訪問診療料（II）算定時：本管理料にかかる皮内、皮下および筋肉内注射、静脈内注射、点滴注射の費用（薬剤、特定保険医療材料を含む）
レセプト記載	総支給単位数、薬剤の項に総点数、薬剤名および支給日数等

＊1：表2-25参照　＊2：表2-26参照　＊3：表2-27参照

対象の薬剤は、インスリンだけではありません。リウマチや骨粗鬆症など、治療内容によってさまざまです

よくある加算：C150　血糖自己測定器加算

　在宅で自己注射を行っている患者さんのうち血糖自己測定をして自己管理ができていることに対する加算で、測定回数によって点数が異なります。

表2-25）血糖自己測定器加算（3月に3回に限る）

対象患者	インスリン製剤またはヒトソマトメジンC製剤の自己注射を毎日行っている患者
	1型糖尿病患者および膵全摘後の患者または1型糖尿病以外（主に2型糖尿病）の患者
レセプト記載	摘要欄に血糖自己測定の回数を記載する
算定点数	1.　月20回以上測定　　　　350点 2.　月30回以上測定　　　　465点 3.　月40回以上測定　　　　580点 4.　月60回以上測定　　　　830点 5.　月90回以上測定　　　1,170点　} 6.　月120回以上測定　　　1,490点　}1型糖尿病の患者のみ 7.　間歇スキャン式持続血糖測定器によるもの　1,250点 血中ケトン体自己測定器加算　40点（3月に3回に限る）

自己測定にかかる血糖試験紙、穿刺器、穿刺針、測定機器など、給付または貸与した場合の費用は所定点数に含まれ、別に算定できない

これだけ！アドバイス

●3月に3回とは

仮に、5月にインスリン製剤を3か月分処方したとしましょう。容態の急変等がなければ、患者さんは3か月後にしか来院しないので、それまでの管理料をまとめて算定することはできません。しかし、血糖自己測定器加算は5月にまとめて3か月分算定できます。これを「3月に3回」といいます。

よくある加算：導入初期加算

最初に在宅自己注射の指導をした月から3か月（つまり、最大3回）算定できるのが、導入初期加算です。

表2-26　導入初期加算（580点）

算定要件等	・初期指導月から起算して3月を限度とし、月1回 ・注射薬の製剤名（インスリン製剤など）に変更があった場合にはあらためて1回に限り算定できる ・過去1年以内に使用した一般的名称に変更した場合は、算定できない ・対面診療を行った場合に限り算定できる

よくある加算：C151 注入器加算、C153 注入器用注射針加算

院内処方の場合、注入器を支給した月に注入器加算を、注射針を処方した場合に、注入器用注射針加算を算定できます。

表2-27　注入器加算と注入器用注射針加算の算定可否

	注射器の種別	対象となる薬剤の単位（例）	院内・院外による支給の可否等	保険医療機関が支給（院内）	
				注入器加算	注射針加算
A	ディスポーザブル注射器	1,000単位10mLバイアル	「ディスポーザブル注射器」として院外・院内いずれも支給可	○	×
B	万年筆型注入器	300単位1筒	・「注入器」は、院内でのみ支給可 ・「注射針」は、院外・院内いずれも支給可	○	○
C	注入器一体型キット製剤	300単位1キット	・「注入器」の費用は薬価に含まれている ・「注射針」は、院外・院内いずれも支給可	×	○

※処方した薬剤の性質によって異なります。院外は支給できても処方箋で出した場合は、加算は算定できません

注入器とは、カートリッジを交換するタイプのもので、ディスポーザブル（使い捨て）注射器も該当します。現在主流の一体型キット製剤は該当しません

それでは、皆さんお待ちかねの例題やりましょうか

 待ってない待ってない

 あら、ツッコミ上手ね

 心からの叫びです

例題 在宅にて自己注射と血糖自己測定を行う患者に下記の診療を行った場合の算定はどうなるでしょうか？
・ノボラピッド 300 単位 1 キット　朝昼夕各 3 単位を院外処方
・マイクロファインプラス 31G　210 本を院外処方
・血糖自己測定　1 日 2 回（月 60 回）を指示

答え

⑭在宅			⑭	
往診	回		※在宅自己注射指導管理料 2	
夜間	回		（1 以外の場合）	
深夜・救急	回		（ロ　月 28 回以上の場合）	750 × 1
在宅患者訪問診療	回		※血糖自己測定器加算	
その他	1580		（4　月 60 回以上）	
薬剤			（1 型糖尿病の患者を除く）	830 × 1
			血糖自己測定回数	
			（血糖自己測定器加算）：60 回	

ノボラピッド注フレックスペン 300 単位 1 キットとマイクロファインプラスを処方箋にて処方した場合、レセプトには記載されません。また、当日投薬の処方がなく、インスリンのみの場合、その日の処方箋料は算定できません

5 ⑳投薬（院内処方）と⑳処方箋（院外処方）

薬の処方は、勤め先のクリニックで調剤して渡す「院内処方」と、処方箋を勤め先のクリニックで発行し、調剤を保険調剤薬局で行ってもらう「院外処方」に分かれます。
それぞれで算定の仕方が異なるため、注意しましょう。

まず確認すること

　算定は、まず勤め先のクリニックがどちらのケースにあてはまるのか確認するところから始まります。「勤め先のクリニックは院内処方だから」といって院外処方をまったく受け付けないわけではありません。クリニックに必要とする薬がなかったり、患者さんからの希望であれば、院外処方として処方箋を発行する場合もあります。
　算定の仕方を大まかにいうと、下記のようになります。

1. 院内処方の場合……薬剤料＋調剤料＋処方料＋調剤技術基本料

⑳投薬	⑳内服	薬剤		単位	㉑	
		調剤	×	回		
	㉒屯服	薬剤		単位		
	㉓外用	薬剤		単位		
		調剤	×	回		
	㉕処方		×	回		
	㉖麻毒			回		
	㉗調基					

2. 院外処方の場合……保険医療機関では投薬せず、調剤薬局で調剤してもらうので、⑳の投薬では算定せず、⑳の処方箋で算定する

⑳その他	処方箋	回			
	薬剤				

⑳ 院内処方

院内処方とは

院内処方は、院内で薬を調剤して渡した場合に算定します（表2-28）。
院内処方の算定項目として、下記を頭に入れておきましょう。

院内処方 ＝ 薬剤料（㉑㉒㉓） ＋ ㉔調剤料 ＋ ㉕処方料 ＋ ㉗調剤技術基本料

薬剤の価格は、「薬価基準」で全国一律で決まっています。薬価は「円」単位で決められているため、レセプトに記載する際は「点数」単位に換算する必要があります。

これだけ！アドバイス

● **薬剤の価格を点数に直すときは、薬剤計算後に五捨五超入！**

薬剤の価格を点数に換算するときは、薬剤価格を10で割って小数点以下が0.5以下は切り捨て、0.5を超えていたら切り上げます。よって、1単位の薬剤価格が15円以下（15円を含む）は1点になります。

15円以下	1点
15円を超える場合（15.01円）〜25円まで	2点
25円を超える場合（25.01円）〜35円まで	3点
35円を超える場合（35.01円）〜45円まで	4点
45円を超える場合（45.01円）〜55円まで	5点

例 薬剤価格55円 ➡ 55÷10 ＝ 5.5点 ➡ 5点

薬剤価格55.1円 ➡ 55.1÷10 ＝ 5.51点 ➡ 6点

表2-28 院内処方の算定項目

<table>
<tr><td rowspan="3">薬剤料</td><td>㉑内服薬
定期的に飲む薬</td><td>1剤1日分が1単位（1日に飲む量が1単位）
1日の量〇点（1単位）×処方日数〇日分</td></tr>
<tr><td>㉒頓服薬
症状が出たときに臨時で飲む薬</td><td>1回分が1単位（1回に飲む量が1単位）
1回の量〇点（1単位）×処方回数〇回分</td></tr>
<tr><td>㉓外用薬
主に体の外側から作用する薬</td><td>1調剤分が1単位（1つの外用薬に対して1回に出た総量が1単位）
1回に出た総量〇点（1単位）×1</td></tr>
<tr><td colspan="2">㉔調剤料
薬を調剤した（つくった）
ことに対しての点数</td><td>外来 内服薬 （㉑内服、㉒頓服）1回11点
　　　　　（内服と頓服が同時に処方されていても1回とする）
　　　外用薬 （㉓外用）1回8点
・麻薬・向精神薬・覚せい剤原料・毒薬加算
　➡ どれか1つでも処方した場合、1処方につき1点加算</td></tr>
<tr><td colspan="2">㉕処方料（外来患者のみ算定）
薬を処方したことに対しての点数

※この場合、処方料だけでなく、投与した薬剤料も所定点数の90/100に減算されます</td><td>患者に処方する薬剤の名称、使用量、使用法などを医師が決定すること

| 1回 | 29点 | 7種類以上の内服薬を投与した場合（※）
（投与日数2週間以内の臨時投与を除く） |
| 1回 | 42点 | 上記以外の場合 |

※向精神薬多剤投与等に対する処方料はp.174を参照

・乳幼児加算 ➡ 3歳未満の患者に処方した場合は、1処方につき
　3点加算
・麻薬・向精神薬・覚せい剤原料・毒薬加算
　➡ どれか1つでも処方した場合、1処方につき1点加算
・特定疾患処方管理加算：56点（月1回）
　➡ 特定疾患の病名に対して処方された場合に算定する加算
　（200床未満の病院または診療所にて算定）
・外来後発医薬品使用体制加算（要届出）→後発医薬品の使用割合によって点数が異なる（処方ごとに加算される）

加算1→8点（後発医薬品使用割合90%以上）
加算2→7点（後発医薬品使用割合85%以上）
加算3→5点（後発医薬品使用割合75%以上）

※同じ保険医療機関の異なる診療科でそれぞれ処方した場合は、診療科ごとに処方料が算定できる
・向精神薬調整連携加算：12点（月1回）
・抗悪性腫瘍剤処方管理加算（要届出）：70点（月1回）</td></tr>
<tr><td colspan="2">㉖麻薬・向精神薬・覚せい剤原料・
毒薬加算</td><td>㉔調剤料に対しての加算。どれか1つでも処方した場合、1処方につき1点加算</td></tr>
<tr><td colspan="2">㉗調剤技術基本料（調基）</td><td>薬剤師が常時勤務する保険医療機関で、薬剤師の管理のもとに調剤が行われた場合に、患者1人につき月1回に限り算定する
外来：14点（入院：42点）</td></tr>
</table>

院内処方時に算定できる医学管理料：B011-3 薬剤情報提供料(4 点)、手帳記載加算(3 点)

　院内処方の外来患者さんに対して処方した薬剤の名称・用法・用量・効能・効果・副作用・相互作用に関する情報を文書により提供した場合に月1回に限り算定できます。

※本来は⑬医学管理等の項での説明になりますが、院内処方に深く関係するものであるため、こちらで説明します

　患者さんの「お薬手帳」に薬剤の名称を記載した場合は手帳記載加算が算定できます。

　ただし‼　薬の変更がない場合は月1回に限りますが、下記に該当する変更があった場合はそのつど算定することができます（内服・外用どちらでも）。この管理料の算定は、⑬医学管理等の項になります。

　　　　＜月1回に限らず、そのつど算定できるもの＞
　　　　①錠剤をカプセルにするなど剤形を変更した場合
　　　　②1回の投与量を変更した場合
　　　　③薬の追加をした場合
　　　　④処方の種類が減った場合
　　　　⑤効能が同じでも商品名の異なる薬を処方した場合
　　　　※単に投与日数が変更されただけでは算定できない（前回28日処方だったが、今回は14日処方だったなど）

　さて、説明もひと通り終わったし、例のやつやりましょうか

　例題ですね。がんばります

例題 下記の処方を行った場合の算定はどうなるでしょうか？
（院内例）急性咽頭扁桃炎で院内処方した場合（薬剤情報を文書にて提供、
　　　　　薬剤師の常勤なし）

Rp.　トランサミン錠 250mg　３錠
　　　ブルフェン錠 200　200mg　３錠
　　　セルベックスカプセル 50mg　３Ｃ
　　　【用法】１日３回　毎食後　　７日分

　　　ジェニナック錠 200mg　２錠
　　　【用法】１日１回　夕食後　　７日分

答え

⑬ 医学管理	1回　　4	⑬	薬剤情報提供料	4 × 1

⑳ 投薬	㉑内服　　薬剤　14 単位　　259 　　　　調剤 11 × 1 回　　11 ㉒屯服　　薬剤　　単位 ㉓外用　　薬剤　　単位 　　　　調剤　　×　回 ㉕処方料　42 × 1 回　　42 ㉖麻毒　　　　回 ㉗調基	㉑	トランサミン錠 250mg　　　3 錠 ブルフェン錠 200　200mg　　3 錠 セルベックスカプセル 50mg　　3 Ｃ　8 × 7 ジェニナック錠 200mg　　2 錠　29 × 7	

院内処方の場合、
用法の記載がカルテに記載されていれば、
レセプトに特に記載がなくても
OK です

⑧⓪院外処方

院外処方とは

院外処方は、処方箋を交付した場合に算定します。

計算式と具体的な点数は下記および表2-29の通りです。

院外処方料 ＝ 処方箋料 ＋ 各加算

＜院外処方の算定点数＞

・7種類以上の内服薬の投薬を行った場合……32点

・上記以外の場合……60点

※同じ保険医療機関内の異なる診療科で、それぞれに処方箋料を算定することができる
※向精神薬多剤投与等に対する処方箋料はp.174を参照

表2-29 院外処方の加算条件と点数

	加算条件と点数
乳幼児加算	3歳未満の患者に処方した場合は、1処方につき3点加算
特定疾患処方管理加算	・特定疾患の病名に対して28日以上処方した場合につく加算：56点（月1回） ・200床未満の病院または診療所にて算定

一般名処方加算	医師が、先発医薬品か後発医薬品の個別の銘柄にこだわらずに一般名称で処方を行った場合に加算。院外処方のみの加算
	・一般名処方加算1：10点
	  ➡ 処方箋交付1回につき、後発医薬品（ジェネリック）のあるすべての医薬品（2品目以上に限る）が一般名処方されている場合
	・一般名処方加算2：8点
	  ➡ 処方箋に1品目でも一般名称で処方されている

向精神薬調整連携加算	抗不安薬等の種類数または投薬量が減少したものについて、薬剤師等に対し、薬剤の種類数または投薬量が減少したことによる症状の変化等の確認を指示した場合に、月1回に限り、1処方につき12点加算
抗悪性腫瘍剤処方管理加算 （要届出）	治療の開始にあたり、投薬の必要性、危険性について文書により説明を行った上で処方した場合に、月1回に限り70点算定

（院外例）急性咽頭喉頭炎で院外処方した場合
Rp. トランサミン錠　250mg　3錠
ブルフェン錠200　200mg　3錠 ➡【一般名】イブプロフェン
セルベックスカプセル50mg　　3C ➡【一般名】テプレノンカプセル
【用法】1日3回　毎食後　　7日分

ジェニナック錠　200mg　2錠
【用法】1日1回　夕食後　　7日分

> トランサミン錠250mgは一般名
> 処方加算1の対象薬剤ですが、
> 一般名で処方されていません。そして、
> ジェニナック錠200mgは後発品のな
> い先発品のため、対象外です

答え

⑳その他	処方箋	1回	68	⑳	※処方箋（その他）	60 × 1
	薬剤				一般名処方加算2	8 × 1

● 処方箋の記載事項

処方内容だけでなく、事務全般をこなすにあたって、処方箋の記載項目の意味がわからなくては話になりません。図 2-4 でおさらいしておきましょう。

図2-4　処方箋の各項目の意味

保険情報……患者の保険情報（公費がある場合は公費情報）を記載（負担割合も記載）

処　方　箋
（この処方箋は、どの保険薬局でも有効です。）

| 公費負担者番号 | | 保険者番号 | |
| 公費負担医療の受給者番号 | | 被保険者証・被保険者手帳の記号・番号 | ・　　（枝番） |

患者情報……氏名・生年月日・性別・区分（被保険者・被扶養者）

患者	氏　名		保険医療機関の所在地及び名称	
	生年月日	明大昭平令　年　月　日　男・女	電話番号	
			保険医氏名	㊞
	区　分	被保険者　被扶養者	都道府県番号	点数表番号	医療機関コード

保険医療機関の所在地および名称等……地方厚生局長に届け出た所在地と名称・電話番号・保険医氏名

| 交付年月日 | 令和　年　月　日 | 処方箋の使用期間 | 令和　年　月　日 | 特に記載のある場合を除き、交付の日を含めて4日以内に保険薬局に提出すること。 |

都道府県番号……医療機関所在地の都道府県番号 点数表番号……医科はⅠ 医療機関コード……レセプトに記載する7桁の番号

| 処方 | 変更不可（医療上必要） | 患者希望 | 個々の処方薬について、医療上の必要性があるため、後発医薬品（ジェネリック医薬品）への変更に差し支えがあると判断した場合には、「変更不可」欄に「レ」又は「×」を記載し、「保険医署名」欄に署名・押印すること。また、患者の希望を踏まえ、先発医薬品を処方した場合には、「患者希望」欄に「レ」又は「×」を記載すること。 |
| | リフィル可 □ （　回） | | |

| 備考 | 保険医署名 | 「変更不可」欄に「レ」又は「×」を記載した場合は、署名又は記名・押印すること。 |
| | 保険薬局が調剤時に残薬を確認した場合の対応（特に指示がある場合は「レ」又は「×」を記載すること。）□保険医療機関へ疑義照会した上で調剤　□保険医療機関へ情報提供 | |

交付年月日……処方箋を交付した年月日

| 調剤実施回数（調剤回数に応じて、□に「レ」又は「×」を記載するとともに、調剤日及び次回調剤予定日を記載すること。） |
| □ 1回目調剤日（　年　月　日）　□ 2回目調剤予定日（　年　月　日）　□ 3回目調剤日（　年　月　日）
次回調剤予定日（　年　月　日）　　次回調剤予定日（　年　月　日） |

| 調剤済年月日 | 令和　年　月　日 | 公費負担者番号 | |
| 保険薬局の所在地及び名称保険薬剤師氏名 | ㊞ | 公費負担医療の受給者番号 | |

処方箋の使用期間……交付日を含めて4日以内の場合（通常の場合）は記載する必要はない（長期の旅行等、特殊な事情がある場合に限り、4日を超えた日より調剤を受ける必要がある場合に限り、年月日を記載する）

備考　1.「処方」欄には、薬名、分量、用法及び用量を記載すること。
　　　2. この用紙は、A列5番を標準とすること。
　　　3. 療養の給付及び公費負担医療に関する費用の請求に関する省令（昭和51年厚生省令第36号）第1条の公費負担医療については、「保険医療機関」とあるのは「公費負担医療の担当医療機関」と、「保険医氏名」とあるのは「公費負担医療の担当医氏名」と読み替えるものとすること。

処方箋の記載の違い

処方箋の記載内容によって、調剤薬局の取り扱いも変わります。普段、何気なく患者さんに渡していますが、患者さんから「自分の処方してもらった薬ではない」などの質問をされる場合もあります。ある程度、患者さんが納得できる回答ができるよう、下図①〜④の違いをしっかり頭に入れておきましょう。

① 【般】が前についている場合は、銘柄でなく、一般名で記載されている。一般名による処方の場合、調剤薬局は、後発医薬品を調剤することができるが、患者さんの求めにより、先発品を調剤することも可能（基本的に、求めがなければ後発品となる）。また、一般名で記載すると、医療機関も処方箋料に一般名処方加算算定の対象となる。

② 変更不可の欄に「✓」等の記載がある場合、後発品への変更は不可。調剤薬局は後発品に変更して調剤することはできない。この場合、必ず保険医署名欄に署名または記名、押印をしなければならない。

③ 銘柄名のまま記載されていても、変更不可欄に「✓」等の記載がない場合は、調剤薬局において後発品への変更が可能となる。

④ 2024年10月1日から長期収載品の希望として本人希望の処方の場合は、「✓」等の記載が必要となる。

リフィル処方箋の導入と処方箋様式の変更

リフィル処方箋とは、医師が医学的に可能であると判断できる投与期間について、処方箋1枚の交付で繰り返し使用できるものです。リフィル処方箋導入により、処方箋の様式も変更されました。

処方	変更不可 （医療上必要）	患者希望	個々の処方薬について、医療上の必要性があるため、後発医薬品（ジェネリック医薬品）への変更に差し支えがあると判断した場合には、「変更不可」欄に「レ」又は「×」を記載し、「保険医署名」欄に署名又は記名・押印すること。 また、患者の希望を踏まえ、先発医薬品を処方した場合には、「患者希望」欄に「レ」又は「×」を記載すること。
			リフィル可 □ （　　回）
備考	保険医署名		「変更不可」欄に「レ」又は「×」を記載した場合は、署名又は記名・押印すること。
			保険薬局が調剤時に残薬を確認した場合の対応 (特に指示がある場合は「レ」又は「×」を記載すること。) □保険医療機関へ疑義照会した上で調剤　　　□保険医療機関へ情報提供

調剤実施回数(調剤回数に応じて、□に「レ」又は「×」を記載するとともに、調剤日及び次回調剤予定日を記載すること。)
□ 1回目調剤日(　　年　　月　　日)　　□ 2回目調剤日(　　年　　月　　日)　　□ 3回目調剤日(　　年　　月　　日)
次回調剤予定日(　　年　　月　　日)　　次回調剤予定日(　　年　　月　　日)

＜リフィル処方箋交付の留意事項＞

・リフィル処方箋の総使用回数（反復回数）の上限は3回までとする（1回あたりの投薬期間や総投薬期間は、患者さんの病状等を踏まえ、医師の医学的判断として個別に決定する）

・次の場合はリフィル処方箋不可
　① 投薬量に限度が定められている医薬品（向精神薬・睡眠薬・薬価収載1年以内の新薬など）
　② 湿布薬（貼付剤で、鎮痛、消炎剤等）

・リフィル処方を行う医薬品と行わない医薬品を処方する場合、処方箋を分ける必要がある

＜リフィル処方する場合＞

リフィル処方で取り扱う場合は
チェック欄と回数欄にチェック
と回数が記載されます（入力方法は
電子カルテメーカー等に確認）

＜リフィル処方しない場合＞

リフィル処方で取り扱わない場
合は患者さんの記入防止のため、
線が引かれます

患者が長期収載品を希望する場合の患者特別負担（選定療養）

2024年10月から処方箋の内容が変更され、新たに「本人希望」の欄が追加されます（➡ p.167）。この変更は、2024年10月1日から始まる長期収載品希望の場合の患者特別負担に関係します。患者さんが「後発医薬品ではなく、先発品（長期収載品）を使いたい」と希望された場合、後発品との価格差4分の1が患者特別負担（選定療養）となり、この仕組みは外来の院外処方・院内処方どちらも対象となります（入院患者は対象外）。

つまり、同じ成分、効能効果で価格の安い後発品を処方できるにもかかわらず、あえて高額な先発品（長期収載品）を自らの希望で選択する場合は特別負担を徴収するという仕組みになります（選定療養）。

ただし、先発品すべてが対象となるわけではなく、あくまでも「対象となる長期収載品」に対して後発品との価格差4分の1を患者負担とし、この場合の処方については患者さんに十分な説明を行うことが必要です。また、「医療上の必要がある場合（変更不可）」や「後発品の入手が困難な場合」には特別負担は求められません。

なお、医療上の必要がある場合や後発医薬品の提供が困難な場合に、選定療養の対象とはせずに長期収載品を院内処方あるいは院外処方するときには、レセプトの摘要欄に理由を記載する必要があります。

院内処方と院外処方の共通事項

 特定疾患処方管理加算

算定時に間違いの多い「特定疾患処方管理加算」について説明します。

特定疾患の病名（別に厚生労働大臣が定める疾患）がある患者さんに対して、薬を処方した場合、特定疾患処方管理加算を算定できます（表2-30）。

表2-30 特定疾患処方管理加算の算定要件

	点数・回数	算定要件
特定疾患処方 管理加算	56 点 月 1 回のみ	・特定疾患を主病とし、それに対する薬剤（外用を含む）の処方期間が 　処方 1 回で 28 日以上（リフィル処方箋の複数回の使用による合計の処 　方期間が 28 日以上の処方も含む）の場合に算定できる ・隔日投与（1 日おき、2 日おきに服用等）の場合でも算定できる（レセ 　プトへのコメントが必要） ・同一月に処方料または処方箋料のいずれか一方で月に 1 回限り算定で 　きる

 ⑬医学管理等「B000 特定疾患
療養管理料」の対象者と同じ疾
患を主病とする患者さんです

 内科は
特定疾患の病名で
受診する人が多いので、
毎日確実にこなしていけば
すぐにできるように
なるわよ

 これだけ！
アドバイス

● **特定疾患処方管理加算の算定における 4 つの注意ポイント**

① ⑬特定疾患療養管理料は、初診から 1 か月の間は算定できないが、

　この加算は、初診日からでも条件を満たせば算定できる

② やむを得ない事情により、患者さんの家族等に処方した場合でも

　算定できる

③ 複数科において受診している場合は、主病と認められる特定疾

　患の治療にあたっている診療科で算定する

④ 生活習慣病管理料（Ⅰ）（Ⅱ）の新設に伴い、「高血圧症」「糖尿病」

　「脂質異常症」が対象疾患から除外された

例題 下記の処方をした場合の院内、院外それぞれの算定はどうなるでしょうか？

気管支喘息の患者さんに喘息治療薬28日分を処方した場合（薬剤師の常勤なし、薬剤変更不可）

テオドール錠100mg　4錠
【用法】1日2回　朝・就寝前　　28日

ムコダイン錠500mg　2錠
ムコサール錠15mg　2錠
【用法】1日2回　朝・夕食後　　28日

答え

＜院内の場合＞

㉒投薬	㉑内服　薬剤　56 単位　168		㉑	※テオドール錠100mg　4錠　3× 28
	調剤 11×1　回　　11			※ムコダイン錠500mg　2錠
	㉒屯服　　薬剤　　　単位			ムコサール錠15mg　2錠　3× 28
	㉓外用　　薬剤　　　単位			※特定疾患処方管理加算
	調剤　×　　回			（処方料）　　　　　　56×　1
	㉕処方料 98×1　回　　98			
	㉖麻毒　　　　　　　回			
	㉗調基			

＜院外の場合＞

㉘その他	処方箋　　　1回　　116		㉘	※処方箋料　　　　　　60×1
				※特定疾患処方管理加算
	薬剤			（処方箋料）　　　　56×1

特定疾患処方管理加算は
㉕特定疾患処方管理加算
　（処方料）　　　56×1
㉘特定疾患処方管理加算
　（処方箋料）　　56×1
院内と院外で違いがあります
選び間違いの査定が多いため、算定時に間違えないようにしましょう

頻出トラブル対処法❻

● ⑬特定疾患療養管理料と㉕・⑧特定疾患処方管理加算はワンセット？

「特定疾患療養管理料を算定したら、特定疾患処方管理加算も算定する」と、ワンセットで考えることが多いと思います。その考えは決して間違いではなく、点検する際にきちんと正しく算定できているか、同じタイミングで確認することは算定ミスをなくすうえで非常によい習慣です。

ただ、その習慣からどちらも⑬の医学管理等のなかに存在するものだと思い込んでしまうことが危険です。どちらも特定疾患に関するものですが、⑬医学管理等の項と㉕・⑧の投薬の項、それぞれ別の項に存在するのですから、性質が違う部分があるのを忘れないことが大事です。慣れてくると、ついすべてイコールであると思い込むケースを多く見ます。

＜よくあるミス＞

⑬特定疾患療養管理料は、初診から１か月後の算定なので、㉕・⑧特定疾患処方管理加算も同じであると勘違いしてしまう（条件を満たしていれば初診日から算定可能です）。

また、特定疾患処方管理加算は㉕院内と⑧院外ではレセプト番号も異なります。「算定しそびれた」ということが起きたとき、修正時に㉕と⑧のコードを間違えて入力してしまうケースが多く見られます。入力したからと安心せず、単純ミスにも気をつけましょう。

向精神薬の逓減(ていげん)と届出

処方料・処方箋料を算定する際、「7種類以上の内服薬の投薬を行った場合」と「6種類以下の場合」で算定点数が分かれますが、さらに2つ、処方内容によって減算される項目（下記①と②）があります。

向精神薬の投与に対する減算であるため、内科ではあまり遭遇しないかもしれません。ただ、稀(まれ)にこの条件にあてはまる場合があり、気づかずにそのままになっているケースが多いので注意してください。

① **向精神薬多剤投与の場合：院内処方料18点、院外処方箋料20点**
1回の処方において、抗不安薬を3種類以上・睡眠薬を3種類以上・抗うつ薬を3種類以上・抗精神薬を3種類以上・または抗不安薬と睡眠薬を併せて4種類以上投与した場合は、処方箋料が20点に減算されます（ただし、精神科の診療に関する経験を十分に有する医師の届け出等をされている場合はこの限りではありません）。

② **ベンゾジアゼピン系薬剤を1年以上継続処方する場合：院内処方料29点、**
   院外処方箋料32点
不安や不眠の症状に対し、12か月以上長期処方（同一用法・用量）している場合、減算されます（ただし、十分な経験を有する医師が行う場合や精神科医の助言を得ている場合は除く）。

また、①の減算があった場合、向精神薬多剤投与の状況報告を毎年度4月・7月・10月・1月に前月から起算した3か月間の向精神薬多剤投与の状況を報告しなければなりません（「向精神薬多剤投与に係る報告書」別紙様式40を用いる。書式は各地方厚生局のHPからダウンロードできます）。

例 1、2、3月に減算の処方があった場合 ➡ 4月に報告書を提出

　3、4月にあった場合、3月分は4月に報告書を提出
　4月分は7月に報告します

※クリニックによって異なるため、確認しましょう

2 同日・同月の院外処方、院内処方の混在について

　同日・同月の院外処方、院内処方の混在が生じた場合の注意点を説明します。主な注意点は下記の3点です。

① 同一日に院内処方と院外処方が混在してはならない

同一日に院内と院外が混在してはいけません。ただし、やむを得ない場合に限り、その理由をコメントとしてレセプトに記載すれば認められます。緊急性のある明確な理由でないと査定されるため、コメントの内容に注意が必要です

※ この場合、「処方箋料」＋「院内投与の薬剤料」を算定し、㉔調剤、㉕処方、㉗調基は算定できません

② 同一日でなく、同一月中の院内処方と院外処方は認められる

③ 同一月中に院内・院外処方が発生した場合、㉗調基の算定は認められない

3 薬剤投与についてのルール

薬剤投与に関するルールは下記の2点です。

① 新薬

薬価基準収載後の翌月初日から1年間は、原則1回の処方は14日分を限度としての投与となります。長期の旅行等、特殊の事情がある場合において必要があると認められるときは、1回の処方で30日分を限度として投与できます（コメントが必要）

② その他、麻薬・向精神薬等

1回30日分を限度とするものと、90日分を限度とするものがあるので注意してください（この場合は、コメントしても超過投与は不可です）

4 薬剤に関する略語

薬剤の処方ではしばしば略語が用いられます（表2-31・2-32）。

表2-31 薬剤の処方に使われる略語

用語・略語	意味
Rp（レシピ）	処方のこと（ラテン語）。Rx…処方（英・米語）
T（タブレット）	錠剤（Tab とも書く。3T は 3 錠）。Tablet の略
C（カプセル）	Cap、K、Kap とも書く。Capsule の略
分3、分4、3×、4×,	いずれも 1 日 3 回または 4 回に分けて服用するという意味
TD（T）	何日分（TD は Tagedosen の略）
P（パック）	何回分、何包。屯服薬を処方する際に用いられる
do	この「do」はカルテの中にしばしば出てくる（ラテン語の ditto の略で「同上」という意味）。投薬以外でも使われる。「前回と同じ」の意

すべて覚える
必要はありませんが、
すぐ意味が取れる
ぐらいにはなって
おきましょう

だいたい
わかるかも

「do」は、
よく現場の言葉で使います。
「前回 do」は
「前回とまったく同じ」
の意味です

表2-32 薬物の剤形に関する用語

用語・略語	意味	単位
散剤	粉末状の粒子、細粒ともいう。Bulb、Powd	グラム（g）
顆粒剤 （かりゅう）	顆粒状（粒子がそろっている）。Gr（Granule の略）	グラム（g）
錠剤	タブレット剤（一定の形に圧縮して製剤したもの）	錠（T）
カプセル錠	ゼラチンでできた筒型の容器の中に詰めたもの	カプセル（C）
チュアブル錠	噛み砕いて飲む薬剤	カプセル（C）
舌下錠 （ぜっか）	舌の下の粘膜から吸収される錠剤（ニトログリセリンなど）	カプセル（C）
口腔内崩壊錠 （こうくうないほうかい） （OD錠）	水なしで唾液のみで溶ける。飲み込むことが難しい人、水分摂取制限のある人でも服用できる	カプセル（C）
徐放錠 （じょほう）	徐々に解け、血中濃度を長く持続できるもの	カプセル（C）
腸溶錠	胃で溶けず腸で溶けるようにしたもの	カプセル（C）
液剤 　内用液剤 　外用液剤	内用水剤、乳剤、シロップ剤、浸剤（しんざい）、煎剤（せんざい）、芳香剤等 含嗽剤（がんそうざい）、点眼剤、点耳剤、点鼻剤、洗浄剤等	mL、瓶 （バイアル） など
坐剤、坐薬 （サポ）	肛門から直腸に挿入し、直腸の粘膜から徐々に吸収される薬剤。痔や便秘の局所治療に使われるだけでなく、解熱剤や鎮痛剤、制吐剤等にも用いられる。薬剤が胃を通らないため、胃に対する副作用がなく、薬が口から飲めない乳幼児や高齢者、また、けいれんや吐き気を起こした人に用いられる	個
トローチ剤	口腔で溶かして喉頭などに作用する外用薬	錠（T）
軟膏剤 （なんこう）	主に塗り薬。Salve、Ointment	グラム（g）
硬膏剤 （こうこう） （湿布、貼付剤）	固形の医薬品を紙、布またはプラスチックフィルム等に伸ばして皮膚に粘着させる	枚 もしくは グラム（g）
ドライシロップ	シロップにする目的でつくられた粉薬。ds	グラム（g）

6 | ㉚注射（㉛筋注 ㉜静注 ㉝その他）

医師や看護師が「注射薬」を患者さんの血管内等に注射した場合に「注射料」として算定します。注射は、内服薬や外用薬の投薬では治療効果が期待できない場合、迅速に効果を得たい場合などに行われます。行われた注射の種類によって算定の仕方が異なります。

1 注射料の算定ルール

注射料の算定は以下のルールで行います。

● **注射料の算定に際して、押さえておくべきポイント**

① 注射手技料の「1回につき」「1日につき」の違いを頭に入れておく（1日につきの場合、薬剤は1日の総量でまとめる）

② 手術当日に手術に関する注射の手技料は術前・術後に限らず算定できない（手技料は手術料に含まれるが、薬剤料は算定できる。ただし、まったく関連しない注射の手技料は算定可）

③ 手技料には、条件に応じて加算できる項目がある

④ バイアル（瓶）の薬剤は、使った量の算定をし、アンプル（管）は全量使っていなくても1管分（全量）で請求できる（残量廃棄のコメント要）

薬剤料

　薬剤料の算定では、小数点以下を五捨五超入します。投薬と同様に、「薬価基準」収載の価格で算定します。1単位分の使用量の薬価を、投薬と同じく五捨五超入で点数に換算します。

表2-33　1単位分の使用量の薬価と点数

1単位分の使用量の薬価	点数
15円以下の場合	1点
15円を超える場合 　薬価を10で割って、1点未満の端数が 　（1）0.5を超える場合 　（2）0.5以下の場合	 切り上げて得た点数 切り捨てて得た点数

五捨五超入が
わからなくなったときは、
p.160 の
「これだけ！ アドバイス」
を見てください

**これだけ！
アドバイス**

● 注射薬の容器の種類

注射器の容器の種類には下記の2つがあります。算定方法にも関わってくるため、しっかり違いを押さえておきましょう。

・管（A：アンプル）……密封してあり、折り割って使う使い捨て容器のため、残量があってもすぐに使わない場合は、廃棄する。そのため、算定は必ず使った量ではなく、アンプルの本数で算定（廃棄分も算定。ただし「残量廃棄」とコメントする）。

・瓶（V：バイアル）……使用する分量だけ複数回に分けて使用可能。使った量だけの算定。ただし、手術料に関連して手術当日に行った注射の手技料は、基本的に算定できない。このとき、薬剤料は算定できるが、⑳注射料ではなく㊿手術料の薬剤料として請求。

2 よく算定する注射手技料

注射手技料に対する加算は、すべての注射が対象で、算定要件にあった場合に算定可能です。注射手技により、レセプト記載は㉛㉜㉝に分かれます。ただし、注射の手技料を包括する点数を算定した場合（注射料が算定できない場合：包括算定、入院等）、算定できないことに注意が必要です。ここでは、内科で必須ともいえる注射料3つを説明します。

㉛ G000 皮内、皮下及び筋肉内注射（筋注：iM）

手技料は、1回につき25点（外来のみ）です。

表2-34 皮内、皮下及び筋肉内注射の手技料の点数（外来の場合）

	点数	
外来	25点	＋薬剤料

【例】外来の場合の記載例

㉚注射	㉛皮下筋肉内　1回　　126 ㉜静脈内　　　　回 ㉝その他　　　　回	㉛	エクサシン注射 400mg 2mL 1A 126 × 1

摘要欄には手技料と薬剤料を合計した点数を書きます（電子カルテやレセコンによって、別々の場合もあります）

例 エクサシン注射 400mg 2mL 1A　1,013円 ➡ 101点＋手技料25点＝126点

これだけ！
アドバイス

●「1回分」とは

1回分とは、注射針を体に刺してから抜去するまでをいいます。

1回分の注射に2種類以上の薬剤を同時に注射するものは、「混合注射」として1回分の注射料として扱います。

180

㉜ G001 静脈内注射（静注：iV）

手技料は、1回につき 37 点（外来のみ）です。ただし、6 歳未満の乳幼児加算は＋ 52 点です。

表2-35 静脈内注射の手技料の点数（外来の場合）

	点数	6 歳未満の乳幼児の場合	
外来	37 点	89 点（37 点＋ 52 点）	＋薬剤料

【例】外来の場合の記載例

㉚注射	㉛皮下筋肉内　　　回 ㉜静脈内　　　1 回　　　47 ㉝その他　　　　　回	㉜	静脈内注射　　　　　37 × 1 メイロン静注 7 ％ 20ml 1A　　10 × 1

 摘要欄には手技料と薬剤料を別々で書きます

例 メイロン静注 7 ％ 20ml 1A　100 円 ➡ 10 点＋手技料 37 点＝ 47 点

㉝その他：G004　点滴注射（DIV、IVD）

　手技料（表 2-36）は、1 日につき（外来・入院）算定します。ただし、6 歳未満の乳幼児加算は＋ 48 点です。なお、1 単位が 1 日分となるので、手技料も何回点滴を行っても 1 日に 1 回の算定になります（薬剤は 1 日量でまとめる）。

表2-36 点滴注射の手技料の点数（外来の場合）

	6 歳以上 500mL 未満	6 歳以上 500mL 以上	6 歳未満 100mL 未満	6 歳未満 100mL 以上	
外来	53 点	102 点	101 点 （53 点＋ 48 点）	153 点 （105 点＋ 48 点）	＋薬剤料 （1 日の総量） ＋特定保険医療材料料

 ㉝その他の注射って、㉛皮内、皮下及び筋肉内注射と㉜静脈内注射以外の注射のことですよね？

 そうそう！　点滴注射をよく目にしますが、ほかにも動脈注射・腱鞘内注射・関節腔内注射・結膜下注射などがありますね

【例】外来（6歳以上）の場合の記載例

| ㉚注射 | ㉛皮下筋肉内　　回
㉜静脈内　　　　回
㉝その他　　1回　325 | ㉝ | 点滴注射　　　　　　53 × 1
大塚生食注 100mL　　1V
フルマリン静注用 1g 2V
　　　　　　　　272 × 1 |

摘要欄には、手技料と薬剤料を別々に書きます

㉑ 大塚生食注 100mL 1V　147 円＋フルマリン静注用 1g 2V　1,286 円 × 2 ＝ 272 点
手技料は 500 mL（6歳以上）以下なので 53 点

注射手技料に対する加算

注射手技料に対する加算として下記があります。

表2-37　注射手技料に対する加算

	点数	加算条件
生物学的製剤注射加算	15 点	対象となる薬剤は、「薬価基準」収載で「生」の表示があり、この表示の薬を使用した際に算定できる
精密持続点滴注射加算	1日につき80点	自動輸液ポンプを用いて1時間に30mL以下の速度で体内に薬剤を注入した場合であって下記に該当する薬剤については、加算ができる　1. 1歳未満の乳児の場合　2. 特に緩徐に注入する必要がある場合
麻薬注射加算	5 点	対象となる薬剤は「薬価基準」収載で「麻」の表示があり、この表示の薬を使用した際に算定できる
外来化学療法加算	1日につき 届出の内容と15歳以上・15歳未満で点数が異なる	悪性腫瘍等の外来患者に対し、注射の必要性・危険性について文書による説明を行った場合に算定できる。この場合、同一月に在宅自己注射指導管理料は算定できないことに注意が必要
バイオ後続品導入初期加算	150 点（月1回）	外来患者に対する注射にあたり、バイオ後続品に係る説明を行い、バイオ後続品を使用した場合に算定できる。当該バイオ後続品の初回の使用日の属する月から起算して3か月を限度として算定できる

3 手技料算定にあたっての注意点

注射手技料の算定にあたって手技料を併せて算定できないものがあります。注意する点は次の通りです。

① 点滴注射と同日に行った静注（iV）の手技料は併せて算定できません。薬剤料のみ、点滴分と併せて算定します。

② 管注（点滴を行っている際にほかの注射をしなければならない場合、点滴回路の途中から薬剤を注入する方法）は、点滴注射の一部と考えて薬剤料のみを点滴注射分に合算して算定します。

表2-38 併算定の可否

	皮内、皮下及び筋肉内注射	静脈内注射	点滴注射
皮内、皮下及び筋肉内注射	併算定可	併算定可	併算定可
静脈内注射	併算定可	併算定不可	併算定不可
点滴注射	併算定可	併算定不可	併算定不可

点滴注射は点滴静脈内注射とも呼ばれるので、同じ静脈内注射だから併算定不可と覚えてもいいですね

頻出トラブル対処法❼

● 静脈内注射と点滴注射の算定間違い

静脈内注射のあとさらに点滴注射になった場合など、1日の間に静脈内注射と点滴注射を行ったときの静脈内注射の手技料は点滴注射の手技料にまとめられ、別に算定はできなくなります。ただし、静脈内注射の薬剤は算定できますので、その場合、点滴注射の薬剤に合算しての請求となります（筋注と点滴、筋注と静注を1日に行った場合は、それぞれの手技料を算定できます）。

トラブルを回避するために、同日の静脈内注射と点滴注射では算定の間違いが起きやすいことを日頃から意識しておきましょう。

7 | ㊵処置

㊵処置の項に定められる処置料は、主に一般処置・救急処置・皮膚科処置・泌尿器科処置・産婦人科処置・眼科処置・耳鼻咽喉科処置・整形外科的処置・栄養処置・ギプスに分かれ、疾患、ケガの状態に応じて必要な場合に行います。

1 処置料の算定ルール

処置料の算定は以下のルールで行います。

処置 ＝ 処置料 ＋ 薬剤料 ＋ 特定保険医療材料料 ＋ 処置医療機器等加算

通則の加算 … Ⓐ 時間外加算等

注の加算 … Ⓑ 年齢加算等、対象となる処置項目だけに算定できる加算

 手術当日の処置は手術に含まれ、算定できません（ギプスを除く）

算定にあたり、必ず押さえておくべき5つのポイントを以下に示します。

(1) 基本診療料と処置料の関係

下記2点に注意が必要です。
1. 再診料算定時に処置料を算定した場合は、外来管理加算は算定できない
2. 処置料が算定できない基本診療料に含まれる処置がある（使った薬剤は算定できる）

表2-39 基本診療料に含まれる簡単な処置

・浣腸、注腸、吸入 ・100cm² 未満の第1度熱傷の熱傷処置 ・100cm² 未満の皮膚科軟膏処置 ・洗眼、点眼	・点耳、簡単な耳垢栓除去 ・鼻洗浄 ・狭い範囲の湿布処置

（2）入院中の患者以外の患者についてのみ算定する処置（外来のみ算定できる）

下記が該当します。

表2-40 外来のみ算定できる処置料

J000	創傷処置（100cm² 未満）		52点
J001	熱傷処置（第1度熱傷以外）		135点
J001-4	重度褥瘡処置 （100cm² 未満、1日につき）		90点
J001-7	爪甲除去（麻酔を要しないもの）		70点
J001-8	穿刺排膿後薬液注入		45点
J043-3	ストーマ処置 （1日につき）	1個	70点
		2個以上	120点
J054	皮膚科光線療法1（1日につき）		45点
J070-2	干渉低周波による膀胱等刺激法		50点
J072	膣洗浄		56点

J086	眼処置		25点
J086-2	義眼処置		25点
J089	睫毛抜去（少数の場合）		25点
J095	耳処置		27点
J096	耳管処置	カテーテル（片側）	36点
		ポリッツェル球	24点
J097	鼻処置		16点
J098	口腔、咽頭処置		16点
J099	間接喉頭鏡下喉頭処置		32点
J114	ネブライザ		12点

（3）対象器官に関する処置

　目や耳や肺のように対称器官に関する処置の点数は、特に規定する場合（片側と記載されているもの）を除き、両側の器官に関するものとする。

【例1】**カルテ：鼓室処置（両側）を行った**

点数表　J095-2 鼓室処置（片側）　62 点

➡ 鼓室処置（右）62 × 1、鼓室処置（左）62 × 1 = 124 点の算定となる

 処置名に「（片側）」「（1 肢につき）」等と示された対称器官に関する処置を両側に行った場合は左右別にそれぞれ算定できます

【例2】**カルテ：鼻出血止血法（片側）を行った**

点数表　J108 鼻出血止血法（ガーゼタンポン又はバルーンによるもの）　240 点

➡ 点数には特に何も記載がないので、片側・両側どちらでも 240 点の算定となる

（4）時間外に対する処置料の加算

下記の Ⓐ〜Ⓓ の 4 つの条件をすべて満たしたときに加算できます。時間外加算、休日加算、深夜加算を算定した場合は、摘要欄に 外 休 深 を明記しなくてはいけません。

【例】**外来・緊急・162 点の処置を深夜に行った場合の記載例**

162 点 × 1.8 = 291.6 ➡ 292 点

㊵処置	1 回　　292 薬剤		㊵	○○処置	深 292 × 1

（5）薬剤料

投薬や注射の薬剤と異なり、15 円以下の薬剤料（1 点）は算定できません。

2　薬剤料等の算定

● 薬剤料

　1回の処置にあたっての使用した薬剤の総量の薬価が15円を超える場合に算定できます（表2-41）。

表2-41　1回の処置に使用した薬剤の総量の薬価

1回の処置に使用した薬剤の総量の薬価	点数
15円以下の場合	算定不可
15円を超える場合	薬価を10で割って、1点未満の端数を五捨五超入（➡ p.160）して得た点数

【例】 **軟膏処置**（1,200cm^2、背部）（外用薬レスタミンコーワクリーム1% 4g使用）

➡ 点数表 ：J053 皮膚科軟膏処置2（500cm^{2}以上3,000cm^{2}未満）85点
➡ レスタミンコーワクリーム1%は、1gで2.32円なので4gは9.28円 ➡ 15円以下なので0点

 15円以下の場合、電カルやレセコンに入力したとしてもレセプトには記載されません

● 特定保険医療材料料（膀胱留置用カテーテル、皮膚欠損用創傷被覆材など）

　厚生労働省が定める保険医療材料（特定保険医療材料）を使用した場合は、その材料価格を加算します（材料価格を10で割って、1点未満の端数を四捨五入して得た点数とする。商品名と単価を記載する）。なお、商品名と単価は、点数表に載っています。

　　　材料価格 /10（四捨五入）

 仕入れた値段をそのまま自費で請求する間違いが多いので気をつけましょう

　なお、処置にあたって通常使用される、その他の保険医療材料（ガーゼ・脱脂綿・包帯などの衛生材料など）の費用は処置料の所定点数に含まれるため、別に算定できません。

● 処置医療機器等加算

　主に「腰部、胸部又は頸部固定帯加算」や酸素ボンベ使用時の「酸素加算」などが、処置医療機器等加算に該当します。

(1) J200 腰部、胸部又は頸部固定帯加算　170点

腰部・胸部または頸部固定帯を給付する初回に算定できます（材料代として）。
※ただし、1年位経過すれば、再給付可
※装着手技料については、J119-2の腰部又は胸部固定帯固定で算定する

(2) J201 酸素加算

酸素吸入等、酸素を使った場合、手技料のほかに算定できます。
なお、酸素加算の際の計算式は下記の通りです。

$$酸素 = 酸素の単価 \times 使用量 \times 補正率1.3 = 購入価格（1円未満は四捨五入）$$

$$購入価格 \div 10 = 酸素代点数（四捨五入）$$

 複雑でできないかも

 今は、電子カルテやレセコンに酸素の使用料を入力すると、自動で計算してくれます

3　よく算定する処置（3例）

内科でも必要な処置を3つ紹介します。

 この3つの処置は頻度は少ないかもしれませんが、内科でも時々あります

(1) 創傷処置（そうしょう）

主に、ケガ等による傷の処置や、術後の処置での算定になります。

（2）皮膚科軟膏処置

　患者さんの体に薬剤を塗布するにあたり、方法の指導や薬に対する説明を（軟膏の塗布、湿布の貼付のみでは算定不可）する場合に算定します。100cm² 未満の範囲は算定できません（100cm² 以上の場合は算定可）。

（3）熱傷処置

　「やけど」の処置のことです。熱傷処置には、電撃傷、薬傷、凍傷が含まれます。熱傷は深さによってⅠ度からｓ度に分類されます。初回実施日から2か月のみ算定可です（レセプト摘要欄に初回実施日を記載する）。

　熱傷処置の 100cm² 未満について、第Ⅰ度熱傷では算定できません。ただし、薬剤料は算定できます。

表2-42　処置面積における算定基準と点数

包帯等で被覆すべき創傷面の広さまたは軟膏塗布を行うべき広さの合計	創傷処置	熱傷処置	皮膚科軟膏処置
100cm² 未満	52 点	135 点	―
100cm² 以上 500cm² 未満	60 点	147 点	55 点
500cm² 以上 3,000cm² 未満	90 点	337 点	85 点
3,000cm² 以上 6,000cm² 未満	160 点	630 点	155 点
6,000cm² 以上	275 点	1,875 点	270 点

【例】右足Ⅱ度熱傷（100cm² 未満）の場合の記載例

㊵処置	1回　　　　　135 薬剤　　　　　　8	㊵	熱傷処置（100cm² 未満）　　　　135 × 1 初回年月日（熱傷処置）：○年○月○日 リンデロン VG クリーム 0.12% 3g　8 × 1

4 算定の注意点

処置料の算定にあたって注意すべき点は下記の 3 点です。

① 処置面積の範囲とは、包帯等で被覆すべき創傷面の広さや軟膏処置を行うべき広さのことをいいます。ケガの大きさではないことに注意が必要です

② 同一疾病にかかる部位に対して、次の処置[*1]を複数行った場合は、それぞれの部位の処置面積を合算し、その面積にあたる広さをいずれかの処置で算定します。別々に分けて算定するわけではない点に注意

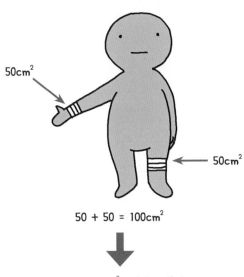

右腕と左足のケガの場合

$50cm^2$

$50cm^2$

$50 + 50 = 100cm^2$

↓

$100 〜 500cm^2$ の点数で算定

③ 同一部位に対して次の処置[*2]を複数行った場合は、いずれか 1 つのみ算定し、併せて算定できない（高いほうで算定すればよい）

*1：創傷処置、皮膚科軟膏処置、消炎鎮痛等処置3（湿布処置）
*2：創傷処置、皮膚科軟膏処置、面皰圧出法、消炎鎮痛等処置3（湿布処置）

8 ㊿手術、麻酔

手術、麻酔というと外科のイメージが強いですが、内科でも稀に実施されます。いざという
とき慌てないよう、概要だけでいいので理解しておいてください。

1 手術・麻酔の種類

手術・麻酔には、以下のものが含まれます。

- 手　術 ┬ 手術料（手術の手技料、そのものをいう）
　　　　 └ 輸血料（事故や手術で、血液そのものが失われる場合や、病気で一
　　　　　　　　　　部の成分が減少する場合等に必要に応じて行う）
- 麻　酔 ┬ 麻酔料（主に手術に伴って行われる麻酔）
　　　　 └ 神経ブロック料（主に痛みに対する治療目的で行われる麻酔）

2 手術料の算定

手術で算定できる料金の内訳は下記の通りです。

手術 ＝ 手術料 ＋ 手術医療機器等加算 ＋ 薬剤料 ＋ 特定保険医療材料料

→ 通則の加算　…　Ⓐ 年齢、時間等

→ 注の加算　…　Ⓑ 対象となる手術項目だけに算定できる加算

（各手術料に対して（注）の加算があるもので、条件を満たした場合に算定）

● 算定のポイント

算定にあたり必ず押さえておくべき7つのポイントを以下に示します。

(1) 手術当日に算定できない項目

下記の費用は手術料に含まれるため、別に算定できないので注意が必要です（術前、術後問わず算定不可。ただし、同日に手術と関係ない薬剤を注射した手技料は算定できる）。

① 手術当日には手術に関連して行う処置の手技料〔ただし、J122〜J129-4（表2-43）は手術当日も算定できる〕
② 手術当日に手術に関連して行う注射の手技料
③ 手術当日に手術に使用された「外皮用殺菌消毒剤」の費用
④ 内視鏡を用いた手術の内視鏡検査の費用
⑤ 診断穿刺・検体採取料の費用
⑥ 手術にあたって通常使用されるチューブ、縫合糸等の費用
⑦ 衛生材料（ガーゼ、脱脂綿、絆創膏等）の費用
⑧ 手術に要した薬剤の合計が15円以下（1点以下）の薬剤費用

表2-43　J122〜J129

J122	四肢ギプス包帯
J123	体幹ギプス包帯
J124	鎖骨ギプス包帯（片側）
J125	ギプスベッド
J126	斜頸矯正ギプス包帯
J127	先天性股関節脱臼ギプス包帯
J128	脊椎側弯矯正ギプス包帯
J129〜J129-4	義肢・治療用装具の採型法

> 手術の際に行った画像診断および検査は、フィルム料のみ算定できます

(2) 対称器官に関する手術

特に規定する場合（各区分に掲げる手術名の末尾に両側と記載されているもの）を除き、片側の器官の手術に関する点数で算定します。

● ○○手術…………… 特に記載がないので、両側を行った場合、左右別々に所定点数が算定できる
● ○○手術（両側）…… 手術を両方行っても片側だけ行っても1回の算定となる

（3）新生児・乳幼児加算

　「通則7」に掲げる手術を手術時体重1,500g未満の児や新生児に対して行った場合、また「通則8」により3歳未満の乳幼児または6歳未満の幼児に対して手術を行った場合は、新生児・乳幼児等加算が算定できます（表2-44）。

表2-44 新生児・乳幼児加算の加算割合

対象	「通則7」に掲げる手術		3歳未満の乳幼児 （①②以外）	3歳以上6歳未満 の幼児
	① 手術時体重 1,500g未満	② 新生児 （①以外）		
所定点数の加算割合	400/100	300/100	100/100	50/100

（4）時間外・休日・深夜加算

　緊急のために、診療表示時間外に手術を行った場合に時間外（40/100）、休日（80/100）、深夜（80/100）加算が算定できます。加算は、すべての手術が対象になります。

　手術の時間外・休日・深夜加算は、初診、再診から8時間以内に手術を開始し、その手術の開始時刻（メスを入れた時間）が時間外等である場合に加算できます。

これだけ！アドバイス

● 年齢・時間加算が重複しているときの算定の仕方

例）爪甲除去術（K089）、2歳、午後7時（診療表示時間外）

K089 爪甲除去術　770　＋　(770 × 100/100)　＋　(770 × 40/100)　＝ 1848

　　　　所定点数（770）　　乳幼児加算（770）　　時間外加算（308）

※所定点数にそれぞれかけてから最後に足す

| 所定点数 | ＋ | 年齢加算 | ＋ | 時間外加算 |

(5) 手術医療機器等加算

手術にあたって、自動吻合器・自動縫合器等の医療機器を使用した場合に加算できるものがあります。

(6) 薬剤料等

手術にあたって使用した薬剤の価格の合計が 15 円を超える場合に算定できます（表2-45）。ただし、手術にあたって用いた「外皮用殺菌剤」は手術の所定点数に含まれ、別に算定できません（外皮用殺菌剤＝一般名：ポビドンヨードなど）。

表2-45 1回の手術等に使用した薬剤の総量の薬価と点数

1回の手術等に使用した薬剤の総量の薬価	点数
15 円以下の場合	算定不可
15 円を超える場合	薬価を 10 で割って、1 点未満の端数を五捨五超入（➡ p.160）して得た点数

(7) 特定保険医療材料料

厚生労働大臣が定める保険医療材料を使用した場合は、その材料価格を 10 で割った点数を加算します。

> 材料価格 /10（四捨五入）

3 内科でよく遭遇する手術

内科でも手術がないとは限りません。内科でも遭遇することのある手術（次ページ以降の2つ）の違いは最低限覚えておきましょう。

（1）K000 創傷処理

主にケガ等で、切れた創部を縫合するときに算定します（表2-46）。

表2-46 創傷の程度と点数

筋肉、臓器に達するもの（長径5cm未満）	1,400点
筋肉、臓器に達するもの（長径5cm以上10cm未満）	1,880点
筋肉、臓器に達するもの（長径10cm以上） イ　頭頸部のもの（長径20cm以上のものに限る） ロ　その他のもの	9,630点 3,090点
筋肉、臓器に達しないもの（長径5cm未満）	530点
筋肉、臓器に達しないもの（長径5cm以上10cm未満）	950点
筋肉、臓器に達しないもの（長径10cm以上）	1,480点

単に創傷の深さを指すものではなく、筋肉、臓器に何らかの処理を行った場合をいいます

このケースが最も多いです

● 算定の注意点

算定にあたっての注意点は下記の通りです。

① 創傷処理とは、切、刺、割創または挫創に対して切除、結紮または縫合（ステープラーによる縫合を含む）を行う場合をいいます。

② 創傷が数か所あり、これをそれぞれ縫合する場合でも、それらの長さを合計して1つの創傷として取り扱います。

③ 真皮縫合を伴う縫合閉鎖を行った場合は、露出部の創傷に限り460点を所定点数に加算します。「露出部」とは、頭部、頸部、上肢にあっては肘関節以下および下肢にあっては膝関節以下をいいます。

④ 汚染された挫創に対してデブリードマンを行った場合は、当初の1回に限り100点を加算します（汚染された挫創に対して行われるブラッシングまたは汚染組織の切除等であって、通常麻酔下で行われる程度のものを行った場合に限り算定できます）。

⑤ 6歳以上は「K000 創傷処理」で算定しますが、6歳未満は「K000-2 小児創傷処理（6歳未満）」で算定します。

【例】右上腕部切創で創傷処理（筋肉、臓器に達しないもの）5cm 未満を実施し、
　　　麻酔にリドカイン塩酸塩注射 1% 5mL 1A を使用した場合の記載例

㊿手術	1回	530	㊿	創傷処理（筋肉、臓器に達しないもの） （長径 5cm 未満）（手術日 4 月 3 日）（右上腕部） 　　　　　　　　　　　　　　　　　530 × 1
	薬剤	6		リドカイン塩酸塩注射 1% 5mL 1A　　6 × 1

翌日からの手術創に対する
処置は区分番号「J000」創
傷処置により算定します

摘要欄には、手術日
と部位を入れます

頻出トラブル対処法❽

● 「創傷処理」と「創傷処置」の点数は大違い

「J000　創傷処置」と「K000　創傷処理」は言葉が似ていますが、創傷処置の
「100cm² 未満」が 52 点、創傷処理は「5cm 未満」が 530 点です。どちらも一番
小さい範囲ですが、点数にかなり違いがありますので、内容をしっかりと確認し、
算定間違いに気をつけましょう。

「処置」は「応急処置」というように、一時的なものです。「処理」は治療を完了
させるもの、というイメージで覚えてください。カルテやレセプトを誤って読み
取ることがないように、注意しましょう。

(2) K001 皮膚切開術

主に膿瘍等を切開して排膿する場合などに算定します（表2-47）。

表2-47 皮膚切開の程度と点数

長径 10cm 未満	640 点
長径 10cm 以上 20cm 未満	1,110 点
長径 20cm 以上	2,270 点

● 算定の注意点

算定にあたっての注意点は下記の通りです。

① 長径 10cm とは、切開を加えた長さではなく、膿瘍、せつまたは蜂窩織炎等の大きさをいう
② 多発性せつ腫等で近接しているものについては、数か所の切開も 1 切開として算定する

【例】背部膿瘍で皮膚切開術（長径 10cm 未満）を実施し、麻酔でキシロカイン注射 1% 5mL を使用した場合の記載例

㊿手術	1 回 薬剤	640 6	㊿	皮膚切開術（1）（長径 10cm 未満） （手術日 4 月 3 日）（背部） 640 × 1 キシロカイン注ポリアンプ 1% 5mL 1A 6 × 1

摘要欄には、手術日と部位を入れます

9 | ⑥検査

検査は内科で日常的に行われる項目ですが、内科といっても勤め先のクリニックの専門分野によって、頻繁に行う検査が異なります。まず、大きく検査の概要を理解したうえで、どの検査を頻繁に行うか確認する必要があります。

1 検査の分類

検査は大きく「検体検査」「生体検査」「病理学的検査」の3つに分けられます。

```
⑥検査
├─1.検　査──┬─検体検査 （第1節）……尿や便など身体から排出されたものや、
│           │                    血液など採取したものを調べる検査
│           └─生体検査 （第3節）……心電図や胃カメラなど、身体そのものに
│                                  対して行う検査
└─2.病理学的検査……臓器や皮膚などの一部を採取し、がん細胞の有無を調べた
                    り疾病の診断をする検査
```

 検体検査と生体検査の違いがよくわかりません

 簡単にいえば、患者さんの身体を直接調べるのか、そうでないかね

 つまり、身体から採取した尿や血液などの検体を調べるのが検体検査で、患者さん自身の身体を対象とする、心電図や脳波を調べるのが生体検査ということですね

 なるほど、じゃあ超音波検査も生体検査ですね！

2 検査の算定ルール

検査の算定ルールは下記の通りです。

3 算定の注意点

算定にあたって注意すべき点は下記の6点です。

① 検体検査と生体検査に挙げられていない検査で簡単な検査は、基本診療料に含まれるため、別に算定することはできません

＜基本診療料に含まれる簡単な検査（抜粋）＞

・血圧測定 ・視野眼底検査のうち簡単なもの ・眼科検査のうち斜照法、徹照法、細隙燈検査 　（ルーペ式）、機器を使用しない眼圧測定検査	・自覚的聴力検査3の簡易聴力検査に該当 　しない簡単な聴力検査 ・精液 pH 測定 ・自律神経機能検査

➡ 次ページにつづく

② 血液採取（1．静脈、2．その他）の費用は外来のみ算定します

③ 検査にあたって麻酔を行った場合は、麻酔の部の所定点数を検査の部で加算します

④ 算定回数が複数月に1回とされている検査を実施した場合は、明細書の摘要欄に前回の実施日（初回である場合は初回）と記載します

⑤ 対称器官に関する検査料は、特に規定する場合を除き、両側の器官に係る検査料とします（特に規定する場合とは、その検査項目に"（片側）"と記してあるものをいいます。その場合は両側の検査を行った場合は、所定点数の2倍の点数を算定します）

⑥ 複数の検査を実施していても同時に算定できないものや、週1回や月1回、複数月1回のみ算定できるなど制限がある検査項目もあります

【⑤の例】

点数表 D255 精密眼底検査（片側）　56点

➡ 両側行った場合は112点

点数表 D261 屈折検査　69点

➡ 片側だけでも両側とも行っても1つの所定点数の69点のみ

検体検査

検体検査とは

　尿、便、痰、血液、胃液、穿刺液など、患者さんの身体から採取した検体に含まれている成分や量などを調べたときに算定します。

A. 検体検査実施料 （検査のつど算定）	＋	B. 検体検査判断料 （月に1回算定）	＋	C. 診断穿刺・ 　検体採取料	＋	D. 薬剤料 E. 特定保険医 　療材料料

➡ a. 外来迅速検体検査加算

➡ b. 時間外緊急院内検査加算

B欄： 検査に対する医師の診断。7つの区分ごとに点数が定められ、それぞれ月1回のみ算定

C欄： 身体から採取するときの手技料。ただし、患者さん本人が採取できるもの（尿、便、痰等）は算定できない

D・E欄： 検査にあたって使用したものに対して算定

⊕ **検体検査管理加算**

（Ⅰ）〜（Ⅳ）まであり、届出を行った保険医療機関は、判断料に加算できる（患者さん1人につき月1回）

A. 検体検査実施料

検体検査は、下記の6区分に分かれます。

①尿・糞便等検査
②血液学的検査　　➡ 包括算定あり
③生化学的検査（Ⅰ）➡ 包括算定あり
④生化学的検査（Ⅱ）➡ 包括算定あり ｝※
⑤免疫学的検査　　➡ 包括算定あり
⑥微生物学的検査

※包括算定：所定点数にかかわらず、検査項目数に応じて算定する。マルメ算定ともいう

> 検体検査に関する診療費は、「検体検査実施料」と「検体検査判断料」の項目から成り立っていて、測定する検査の内容によって、左記の6区分に分かれています

● a. 外来迅速検体検査加算

　入院中の患者さん以外の患者さん（外来の患者さん）に対して、厚生労働大臣が定める検査（表2-48）を行った場合に当日中にそのすべての検査結果を説明したうえで、文書により情報を提供し、結果に基づく診療が行われた場合に、1日に5項目を限度として、所定点数にそれぞれ10点を加算できます（ただし、1つでも当日結果がそろっていなかったらすべて算定できません）。

表2-48　厚生労働大臣が定める検査

D000	尿中一般物質定性半定量検査
D002	尿沈渣（鏡検法）
D003	糞便中ヘモグロビン
D005	赤血球沈降速度測定（ESR）／末梢血液一般検査／HbA1c
D006	プロトロンビン時間／FDP（定性・半定量・定量）／Dダイマー
D007	総ビリルビン／総蛋白／アルブミン（BCP改良法・BCG法）／尿素窒素／クレアチニン／尿酸／ChE／ALP／γ-GT／中性脂肪／ナトリウム及びクロール／カリウム／カルシウム／グルコース／LD／CK／HDL-コレステロール／総コレステロール／AST／ALT／LDL-コレステロール／グリコアルブミン
D008	TSH／FT_3／FT_4
D009	CEA／AFP／PSA／CA19-9
D015	CRP
D017	細菌顕微鏡検査（その他のもの）

● b. 時間外緊急院内検査加算

　入院中の患者以外の患者さんについて、緊急のため診療表示時間外に保険医療機関内において、検体検査を行った場合は、時間外緊急院内検査加算として1日につき（検査項目数にかかわらず）200点を算定します（レセプトに、検査開始日時を記載）。

> **注意!!**
> 「a. 外来迅速検体検査加算」と
> 「b. 時間外緊急院内検査加算」は
> 同時に算定できません

● 外来迅速検体検査加算の算定例

外来迅速検体検査加算の算定は、主に下記3パターンに分けられます。

【例1】対象検査を6項目行い、その日のうちに説明等をした場合

D000	尿中一般物質定性半定量検査	当日	○
D005	末梢血液一般	当日	○
D005	HbA1c	当日	○
D007	アルブミン（BCP改良法・BCG法）	当日	○
D007	クレアチニン	当日	○
D007	グルコース	当日	○

➡ 5項目を限度に算定する

【例2】対象検査をすべて当日行ったが、1項目が後日結果が出た場合

D000	尿中一般物質定性半定量検査	当日	○
D015	C反応性蛋白（CRP）	後日	×

➡ 加算対象検査が、すべて当日に結果提供なされなければ、

　加算は算定できない

【例3】対象検査と対象外を当日行い、対象外検査のみ後日に結果

　　　 提供された場合

D000	尿中一般物質定性半定量検査	当日	○	←対象
D007	フェリチン（半定量・定量）	後日	─	←対象外

➡ 加算対象以外の検査の結果提供が後日であっても、加算対

　象検査が当日結果提供されれば、算定できる

B. 検体検査判断料

検体検査実施料の項目ごとに月1回判断料（医師の診断料）が算定できます（表2-49）。

表2-49 判断料の一覧

判断料（D026）	点数
① 尿・糞便等検査判断料	34点
② 遺伝子関連・染色体検査判断料	100点
③ 血液学的検査判断料	125点
④ 生化学的検査（Ⅰ）判断料	144点
⑤ 生化学的検査（Ⅱ）判断料	144点
⑥ 免疫学的検査判断料	144点
⑦ 微生物学的検査判断料	150点

これだけ！
アドバイス

● 尿中一般物質定性半定量検査に関する注意点

尿中一般物質定性半定量検査（D000）については、判断料は算定できません。下記に該当する場合は、表2-49の判断料は月1回のみ算定となるので注意しましょう。

① 複数科で、各検体検査を行った場合

② 同一月内において、外来・入院を通して検体検査を行った場合

C. 診断穿刺・検体採取料

検査にあたって、患者さんから検体を穿刺または採取した場合は、診断穿刺・検体採取料に掲げる所定点数を加算します（表2-50）。

自然に排出されるもの、患者さん自らが採取できるもの（尿、糞便、喀痰、分泌物、膿など）は算定できません。

表2-50 診断穿刺・検体採取料の対象となる主な検査と点数（抜粋）

	検査		点数	乳幼児加算
D400	血液採取（1日につき）	1. 静脈 2. その他*	40 点 6 点	35 点 （6 歳未満）
D405	関節穿刺（片側）		100 点	100 点 （3 歳未満）
D411	甲状腺穿刺又は針生検		150 点	―
D413	前立腺針生検法（その他のもの）		1,540 点	―
D414	内視鏡下生検法（1 臓器につき）		310 点	―
D419・6	鼻腔・咽頭拭い液採取		25 点	―

＊静脈以外は耳朶や指先で採取する場合などが該当

検体を穿刺や採取したときの技術料になります。見落としがちな項目なので、算定漏れのないようにしましょう

これだけ！アドバイス

● D400 血液採取

血液採取には、「1．静脈」と「2．その他」があり、血液検査を行うときに算定されます。静脈からの血液採取は「B-V」ともいわれ、よく目にする項目の1つです。

・同一日に両方行った場合、「1．静脈」のみの算定

・同一日に点滴の回路から静脈採血を行った場合、点滴手技料に含まれ、別に採取料の算定はできません

D．薬剤料

薬剤料は、検査にあたって使用した薬剤の価格の合計が 15 円を超える場合に算定できます（表 2-51）。

表2-51 1回の検査に使用した薬剤の総量の薬価と点数

1回の検査に使用した薬剤の総量の薬価	点数
15 円以下の場合	算定不可
15 円を超える場合	薬価を 10 で割って、1 点未満の端数を五捨五超入（→ p.160）して得た点数

E. 特定保険医療材料料

特定保険医療材料料は下記の計算式で算定します。

> 材料価格 /10（四捨五入）

---

2 検体検査区分別よくある検査

以下、検体検査でよくある検査とレセプト記載例を紹介します。

（1）尿・糞便等検査

【例】尿蛋白・ウロビリノーゲン・潜血・糖の定性半定量検査を
　　実施した場合の記載例（当日院内で結果説明）

⑥⑩ 検査	2 回　　　36	⑥⑩	尿中一般物質定性半定量　　26 × 1
	薬剤		外来迅速検体検査加算 1 項目　10 × 1

尿中一般物質
定性半定量だけでは
判断料（34 点）が
算定できない
ルールがあります

（2）血液学的検査

【例】末梢血液一般検査と HbA1c を実施した場合の記載例
　　（当日院内で結果説明）

⑥⑩ 検査	4 回　　　255	⑥⑩	末梢血液一般検査、HbA1c　　70 × 1	検査実施料
	薬剤		外来迅速検体検査 2 項目　　20 × 1	
			血液学的検査判断料　　　125 × 1	判断料
			B-V　　　　　　　　　　　40 × 1	採取料

B-V：静脈採血

電子カルテのソフトによって、判断料や B-V を回数に入れないこともあります

（3）生化学的検査（Ⅰ）

【例】静脈採血により、総ビリルビン、直接ビリルビン、総蛋白、
ALT、アルブミン、ナトリウムおよびクロール、鉄を実施
した場合の記載例

計7項目を
まとめて
算定（マルメ算定）
します

⑥検査	3回 277	⑥	B-BIL/ 総、BIL/ 直、TP、ALT、アルブミン、ナトリウムおよびクロール、Fe（7項目） 93 × 1
	薬剤		B-V 40 × 1
			生化学的検査（Ⅰ）判断料 144 × 1

B–：検体が血液
ナトリウムおよびクロールは、双方測定しても合わせて1項目

（4）生化学的検査（Ⅱ）

　悪性腫瘍を疑う患者さんへの検査は「⑥検査」の項で算定しますが、悪性腫瘍確定患者さんへの検査は「⑬医学管理等」の「悪性腫瘍特異物質治療管理料」で算定します（➡ p.124）。

【例】静脈採血により、腫瘍マーカー CEA と CA19-9 を実施した場合の記載例

⑥検査	3回 414	⑥	腫瘍マーカー2項目
			CEA、CA19-9 230 × 1
	薬剤		B-V 40 × 1
			生化学的検査（Ⅱ）判断料 144 × 1

（5）免疫学的検査

【例】インフルエンザウイルス抗原定性を実施した場合の記載例

⑥検査	3回 301	⑥	インフルエンザウイルス抗原定性 132 × 1
			鼻腔・咽頭拭い液採取料 25 × 1
	薬剤		免疫学的検査判断料 144 × 1

（6）微生物学的検査

【例】 細菌培養同定検査をし、後日細菌が検出されたため、細菌薬剤感受性検査（1菌種）を実施した場合（検体は喀痰）の記載例

⑥検査	3回	515	⑥	細菌培養同定検査（口腔、気道又は 呼吸器からの検体）	180 × 1
				細菌薬剤感受性検査（1菌種）	185 × 1
	薬剤			微生物学的検査判断料	150 × 1

細菌薬剤感受性検査は、細菌培養同定検査実施後、細菌を検出した場合に算定する検査です。よって、実日数1日のみでの算定は原則不可です（ステップアップ参照）。

D018 細菌培養同定検査と D019 細菌薬剤感受性検査の 関係とレセプト請求

細菌培養同定検査は、細菌の有無を確認（培養）し、陽性だった場合はさらに菌に対しての種類や性質を究明（同定）する検査です。よって、菌が検出された場合はさらに細菌薬剤感受性検査を実施し、どの薬剤が有効か調べる流れになります。

細菌の培養は数日かかるため、細菌薬剤感受性検査の算定は後日になるのがこの検査の一般的な流れとなります。

レセプトの算定としては、細菌薬剤感受性検査を次回の診察日に算定するか、患者さんが来院されなかった場合は実日数「0」として『患者来院せず、細菌薬剤感受性検査のみ算定』とコメントして請求します。

ただ、そのときによくある間違いとして、月をまたいで算定するときでも月1回の微生物学的検査判断料は前回の細菌培養同定検査の一連とみなすため、算定することは不可です。

月が変わると、電子カルテ等は自動的に算定してしまうので、注意が必要です。

生体検査

1 生体検査とは

生体検査とは、患者さんの身体そのものを直接調べる検査のことです。

A. 生体検査料
（検査のつど算定）

＋

B. 生体検査判断料
（月に1回算定）

＋

C. 薬剤料
特定保険医療材料料
フィルム料
etc

→ a. 年齢加算

→ b. 同月・同検査の逓減制

すべての検査が
対象ではない

検査にあたって使用した
ものに対して算定

A. 生体検査料

生体検査は下記の項目に分類することができます。

- ・呼吸循環機能検査等★①
- ・超音波検査等
- ・監視装置による諸検査
- ・脳波検査等★②
- ・神経・筋検査★③
- ・耳鼻咽喉科学的検査
- ・眼科学的検査
- ・皮膚科学的検査
- ・臨床心理・神経心理検査
- ・負荷試験等
- ・ラジオアイソトープを用いた諸検査 ★④
- ・内視鏡検査

※★は生体検査で判断料が算定できるもの
※丸数字は次ページの表2-53に対応

● a. 新生児、乳幼児加算（通則1・2）

一部の生体検査では、新生児、6歳未満の乳幼児に対して実施した場合に加算があります（表2-52）。

表2-52 新生児、乳幼児加算の算定基準

対象	加算点数	備考
新生児	所定点数× 100/100	生後28日未満
乳幼児	所定点数× 70/100	3歳未満
幼児	所定点数× 40/100	3歳以上6歳未満

すべての生体検査にできるものではなく、項目が限られていることに留意すること！

● b. 生体検査の逓減制

下記の生体検査は、同一月内に同一検査を2回以上実施した場合、2回目以降は所定点数の90/100に相当する点数で算定します。

① 呼吸循環機能検査（D206 ～ D214-2）
② 超音波検査等（D215、D216）
③ 内視鏡検査（D295 ～ D323、D325）

B. 生体検査判断料

生体検査判断料には主に下記の4点があります。算定は、月1回行います。

表2-53 主な生体検査判断料

	点数
① 呼吸機能検査等判断料	140点
② 脳波検査判断料	(1) 350点 (2) 180点
③ 神経・筋検査判断料	180点
④ ラジオアイソトープ検査判断料	110点

C. 薬剤料、特定保険医療材料料

検体検査（p.205、206）の場合と同じです。

2　生体検査でよくある検査

内科でよく取り扱う主な検査とレセプト記載例を2つ紹介します。

【例1】 心電図検査（ECG）12誘導を実施、同一月の後日、ホルター型心電図（8時間以上）
　　　　と心電図検査6誘導を実施した場合の記載例

| ⑥⓪
検査・病理 | 3回

薬剤 | 1961 | ⑥⓪ | ECG12　　　　　　　　　　　130 × 1
ホルター心電図（8時間以上）1750 × 1
ECG 6　減　　　　　　　　　　81 × 1
　　　　　　　　（90点×90/100） | 心電図とホルター心電図は別検査とみなします

心電図検査「1」〜「5」は、通則により同一検査として扱います |

【例2】 超音波検査断層法（膵臓）実施、同一月の後日、心臓超音波（経胸壁心エコー法）
　　　　を実施した場合の記載例

| ⑥⓪
検査・病理 | 2回

薬剤 | 1410 | ⑥⓪ | 超音波検査（胸腹部）　　　530 × 1
ア．消化器領域
心臓超音波
　　（経胸壁心エコー法）　 880 × 1 | 超音波と心臓超音波は別検査とみなすため、減額はありません |

超音波（エコー）の逓減

「月2回以降の超音波検査は逓減の対象」となることは多くの人が知っていますが、実はすべての超音波検査が逓減の対象となるわけではありません。

逓減の対象となるのは、「同一患者に同一月に同一検査を2回以上実施」「異なる超音波検査を同一月内に同一部位について2回以上実施」した場合のみです（表2-54）。何でもすべて逓減してしまうことのないよう気をつけましょう。

表2-54　超音波（エコー）の逓減の適用条件

撮影部位・方法	同月2回目撮影	同時に複数撮影
同一部位・別撮影方法	2回目以降は90/100	主たる撮影方法
別部位・同一撮影方法	2回目以降は90/100	主たる撮影方法
別部位・別撮影方法	逓減しない	別々に算定可能

病理学的検査

 病理学的検査とは

　体から採取した細胞や組織を、顕微鏡を用いて観察する検査のことで、腫瘍等の病的状態の診断をします。病理には、「細胞診検査」と「病理組織標本作製」の種別があります。

　細胞診検査では、組織から得られた細胞を顕微鏡下で観察します。喀痰、分泌物、尿、腹水、子宮頸管擦過等の液体や剥離細胞等を検体とします。細胞診は、悪性腫瘍等の「スクリーニング検査」として行われることが多いです。

　病理組織標本作製では、細胞の集まりである組織を手術や生検（診断穿刺・切除等）により採取し、組織の細胞の配列の状態等を顕微鏡下で観察します。病理組織は、悪性腫瘍等の「確定診断」に使われます。

A. 病理検査料
（検査のつど算定）

＋

B. 病理診断料
または
病理判断料

＋

C. 診断穿刺
・検体採取料

＋

D. 薬剤料
特定保険
医療材料料

B. 病理診断料と病理判断料

病理診断料と病理判断料は、下記の場合に算定します。

① 病理診断を専ら担当する医師が勤務する病院または病理診断を専ら担当する常勤の医師が勤務する診療所において、その規定に準ずる病理に基づく診断を行った場合に月1回に限りN006病理診断料を算定します

② 専任の病理医が勤務していない病院および診療所においては、N007病理判断料（130点）を月1回に限り算定します

C. 診断穿刺・採取料

病理標本作製にあたって、検体採取を行った場合は、検査の部第4節診断穿刺・検体採取料を加算します。

【例】 食道ファイバースコピー実施。組織を採取し、病理診断を行った場合の記載例
（専任の病理医はいない保険医療機関）
使用薬剤：ブスコパン1A、キシロカインゼリー2% 10mL、フィルム（1,200円）1本

⑥⓪ 検査	4回	2100	⑥⓪	EF－食道	800 × 1
				内視鏡下生検法	310 × 1
	薬剤	132		T－M　1臓器	860 × 1
				㊵　病判	130 × 1
				ブスコパン1A	
				キシロカインゼリー2% 10mL	12 × 1
				フィルム（1,200円）1本	120 × 1

EF：ファイバースコピー
T－M：病理組織標本作製

検査ではしばしば略語が用いられます（表2-55・2-56）。すべて覚える必要はありませんが、すぐ意味が取れるぐらいにはなっておきましょう（電子カルテ等によって、どちらを使っているかわかりません）。

表2-55 検査略語一覧表

U（尿）
F（糞便）
B（血液）
G（胃液）
S（細菌）
T（病理組織）
P（穿刺（液））
EF（ファイバースコープ）

表2-56 主な検査と省略名

検査名	省略名
尿中一般物質定性半定量検査	U－検
尿クレアチニン	U－クレアチニン
尿沈渣顕微鏡	U－沈
プロトロンビン時間	PT
活性化部分トロンボプラスチン時間	APTT
トロンボテスト	TT
カリウム	（B－）K
カルシウム	（B－）Ca
鉄	（B－）Fe
マグネシウム	（B－）Mg
アルカリフォスファターゼ	（B－）ALP
アミラーゼ	（B－）Amy
総ビリルビン	（B－）BIL/総
血糖	（B－）GL
総コレステロール	（B－）Tcho
中性脂肪	（B－）TG
心電図（最低12誘導）	ECG12
心電図（その他）	ECG
負荷心電図（最低12誘導）	ECGフカ12
超音波Aモード法	超音波A
脳波検査	EEG

カッコつけるために略してるところあると思います

※そんなことはありません

10 ⑦画像診断

画像診断は、エックス線、CT、MRI など画像を用いた診断のことです。画像診断では、エックス線診断料・核医学診断料・コンピューター断層撮影診断料・薬剤料・特定保険医療材料料の算定が可能です。ここでは扱うことが一番多いエックス線の説明をします。

エックス線診断料の算定の仕組み

エックス線診断料で算定できる料金の内訳は下記の通りです。

＊技術料は、他院からフィルムを持参してきたものを診る（診断する）場合は、診断料のみの算定となります（レセプト摘要欄には、部位コメントと病名欄には病名が必要です）

エックス線診断

エックス線診断は、エックス線を用いた画像診断です。以前はフィルムを用いたアナログ撮影が一般的でしたが、最近はデジタル化され電子媒体上に直接保存する保険医療機関が一般的になりました。

エックス線診断料の算定

同一部位を、同時に2枚以上、同一方法により撮影した場合の写真診断料・撮影料は、1枚目は所定点数、2枚目から5枚目までは所定点数の50/100で算定し、6枚目以後の写真診断料・撮影料は算定しません（ただし、特殊撮影および乳房撮影、心臓・冠動脈造影の場合を除く）。

算定のポイントは下記の通りです。

① 同一部位とは、同一フィルム面に写せる範囲を指します。たとえば、食道・胃・十二指腸、腎と尿管、胸椎下部と腰椎上部のような場合は、各々同一部位として扱うことに注意してください

② 同時とは、診断をするために予定した一連の経過の間をいいます。たとえば、胆のう造影撮影の30時間後の撮影は同時として扱います。ただし、胸部の単純撮影の結果、断層撮影の必要を認めて、胸部の断層診断を行った場合は、同時とみなしません

③ 同一方法とは、撮影方法が同じであることを指します。撮影方法には、単純・特殊・造影・乳房の4つがあります。したがって、撮影方法は同じで方向別撮影の場合などは、別の撮影方法とは考えません

診断方法には、透視診断、写真診断があり、その他に加算項目が定められています。個々の点数の合計がエックス線診断料の合計点数となるので、それぞれの項目について理解することが必要です。

透視検査のみの場合は、写真診断料ではなく透視診断料で算定します。

透視診断料（X-D）……病巣や骨などにエックス線をあて、その状態を観察する方法。透視診断料として算定できる場合は、胃造影剤使用撮影などの消化管の造影に限られる。脱臼部位の整復を行う時の透視や、消化管の造影であっても腸管に造影剤が到達しているかどうかの確認のための透視などは、算定できない

写真診断料（X-P）および撮影料……写真診断料とは、撮影したフィルムを医師が見て診断を下すことに対する技術料。電子媒体に保存し、モニターの画像で診断した場合も算定できる。撮影の方法（表2-57）は、①単純撮影、②特殊撮影、③造影剤使用撮影、④乳房撮影に区分されている。アナログ撮影かデジタル撮影のいずれか、また、撮影する部位により点数が異なる（表2-58）

表2-57　撮影方法の区分

①単純撮影	胸腹部や骨の撮影など人体を透過したエックス線をそのままフィルムに映し出す撮影方法。単純撮影のほか、高圧撮影、拡大撮影など
②特殊撮影	特殊な装置を用いて撮影する方法。断層撮影、スポット撮影、パントモグラフィーなど
③造影剤使用撮影	単純撮影では、病変（対象としたい部位）とその周辺の差異がはっきりしないような場合に、造影剤を使用してコントラストを作り出し病変を浮き出させる方法。消化管、腎臓、胆のう、膀胱のほか、血管造影、リンパ管造影など
④乳房撮影	特殊な撮影装置を使用して、原則両側の乳房を撮影する方法。マンモグラフィー

表2-58 **デジタル撮影の点数**

所定点数 枚数 (写数)	単純 (頭・躯幹)[*1]		単純 (その他)[*2]	
	診断	撮影	診断	撮影
	85 点	68 点	43 点	68 点
1	153 点		111 点	
2	230 点		167 点	
3	306 点		222 点	
4	383 点		278 点	
5	459 点		333 点	

診断料＋撮影料の点数です。2〜5枚目は診断料、撮影料とも50/100で算定します。この点数にその他使用したフィルム料等をプラスします

＊1：頭（頭・胸・腹・脊椎）、躯幹（肩・股関節・頚部など）
＊2：その他（四肢）

Ⓐ 通則の加算

● 画像診断管理加算（要届出）

画像診断と専ら担当する常勤の医師が画像診断を行い、その結果を文書により報告した場合、月1回に限り算定できます

● 時間外緊急院内画像診断加算

入院中の患者以外の患者について、緊急のために診療表示時間外に保険医療機関内において撮影および画像診断を行った場合に、1日につき110点を加算します（レセプト摘要欄には日付と時間の記載が必要）。

Ⓑ 注の加算

撮影料に対して乳幼児加算を算定することができます（診断料にはこの加算はありません）。

表2-59 **撮影料に対しての乳幼児加算**

新生児加算	撮影料の 80/100 加算
3 歳未満の乳幼児加算	撮影料の 50/100 加算
3 歳以上 6 歳未満の幼児加算	撮影料の 30/100 加算

● よくある算定例

【例】胸部単純撮影（デジタル）正面／腹部単純撮影（デジタル）正面・側面

【計算】

- ・診断料 ➡ 85　　　　　　　➡ 85 点 ┐
- ・撮影料 ➡ 68　　　　　　　➡ 68 点 ├ 胸部（210 点）
- ・電子画像管理加算　　　　　➡ 57 点 ┘
- ・診断料 ➡ 85 ＋ 85/2 ＝ 127.5　➡ 128 点 ┐
- ・撮影料 ➡ 68 ＋ 68/2 ＝ 102.0　➡ 102 点 ├ 腹部（287 点）
- ・電子画像管理加算　　　　　➡ 57 点 ┘

> 胸部と腹部は別部位となるため、診断料・撮影料、フィルム料は部位ごとに、すなわち胸部、腹部ごとに算定します（病名も診断ごとにつきます）。また、電子画像管理加算もそれぞれ算定できます

⑦ 画像診断	2 回　　　　497 薬剤	⑦	胸部単純 X － P（デジタル） 　　　　　　　　　　210 × 1 腹部単純 X － P（デジタル） 　　　　　　　　　　287 × 1

> レントゲンではなくエックス線といいます

薬剤料

　造影剤や発泡剤など、画像診断にあたって使用した薬剤の価格の合計が 15 円を超える場合に算定できます（表 2-60）。

表2-60 1 回の検査に使用した薬剤の総量の薬価

1 回の検査に使用した薬剤の総量の薬価	点数
15 円以下の場合	算定不可
15 円を超える場合	薬価を 10 で割って、1 点未満の端数を五捨五超入（➡ p.160）して得た点数

フィルム料

フィルムを使っての算定と、フィルムレス（フィルムなし）の場合で算定が異なります。

● フィルムで算定

撮影方法、部位ごとに使用したフィルムの価格を合計し、合計価格を10円で除し、1点未満の端数は四捨五入します。

> フィルム料は、2枚目以後50/100になりません。また6枚目以後も使用した枚数のフィルム料を算定できます（電子画像管理加算との併用算定はできません）

● フィルムなし（電子画像管理加算）

撮影した画像を電子化して管理および保存した場合は、部位ごとに一連の撮影について、次の点数を加算します。フィルム料の算定はできません。

<何枚とっても同じ点数>
・単純撮影：57点
・特殊撮影：58点
・造影剤使用撮影：66点
・乳房撮影：54点

特定保険医療材料料

厚生労働大臣が定める保険医療材料を使用した場合は、材料価格を10で除した点数を加算します。

> 材料価格 /10（四捨五入）

第 3 章

保険（レセプト）請求
【実践編】

返戻や減点等、レセプト請求におけるミスをなくすための一番の近道は、ミスに向き合い、何が間違っていたかを理解することです。この章では具体例をもとに、正しい請求の仕方を学んでいきましょう。

\ざっくり/
1か月のタイムスケジュール

診療にかかる費用のうち、患者さんが支払う金額は全体の一部のみで、残りは患者さんが加入している医療保険者が負担することになっています。その費用を月に1回まとめて審査支払機関に対して請求するのが保険請求の仕事です。

保険請求の対象月

20日頃
準備開始

準備に入るスタート日はクリニックによって異なる

月末
準備終了

月末の業務終了後、紙レセプトで点検する場合は、印刷する

準備期間にやること

…… p.224

● エラーリスト（電子カルテについているチェック機能または別のソフトが入っている場合もある）を見て、病名漏れがないかなどをチェック
● 生保（生活保護）の番号確認（医療券が届いていない場合、市区役所の担当に確認）
● 「介護保険主治医意見書」の請求準備
● 定期予防接種や、がん検診等の公費分を市区町村に請求するための準備
● 介護保険請求の準備（在宅医療があるクリニックの場合）
● 労災への請求準備（労災保険があるクリニックの場合）

※たとえば5月診療分の保険請求をする場合
5/31締め ➡ 6/10までに請求

月末で締めた分（対象月1か月分）を翌月10日までに請求するため、少し日にちがズレるイメージになります

送信完了

対象月の翌月

1日
レセプト点検開始

5〜7日
前回提出分の返戻内訳書・増減点連絡書が届く
（返戻データ等のダウンロードは5日から可能）
※増減点連絡書は都道府県によって日にちが異なります

返戻
×

10日までに
オンライン送信

・労災保険
・介護保険請求があるクリニックは同時に行う

レセプト点検と併せてやること
……p.234

前月分の処理
● 返戻処理
● 減点内容の確認
● 返戻処理後、10日必着で郵送またはオンラインで送信

1 | レセプト点検

レセプトの間違いを減らすには、正しい点検の仕方を身につける必要があります。我流でチェックしていると、いつまで経っても間違いを潰しきれません。**基本をしっかり身につけ、正しいフォームで練習を積むことがミスをなくす近道です。**

1 準備期間にやること

レセプト請求の準備期間にやることは下記の通りです。

① **エラーリストの確認**…エラーリスト（電子カルテのチェック機能または別ソフトのもの）を見て、病名漏れがないかなどを確認します。月末に一度に行うと、大変な作業なので、10日ごとに行うのが一般的です

② **生保の番号確認**…医療券が届いていない場合、役所の担当に確認します。保険医療機関に届いた時点で全員の番号や一部負担がないかなど早めに確認します

③ **「介護保険主治医意見書」の請求準備**…「介護保険主治医意見書」を郵送した方の分を請求します。主治医意見書作成料請求書（1枚）と請求する方の意見書作成料請求明細書（主治医意見書作成依頼書の下半分）を用意しておきます

④ **定期予防接種や、がん検診等の公費分を市区町村に請求するための準備**…公費扱いで予防接種やがん検診をした方の問診票の控え（提出用）をまとめておきます（予防接種やがん検診の種類ごとにまとめておきます）

⑤ **介護保険請求の準備（在宅医療があるクリニックの場合）**…介護保険サービスを提供した保険医療機関は原則9割（または8割）を国民健康保険団体連合会（国保連合）へ請求することになります

⑥ **労災への請求準備（労災保険があるクリニックの場合）**…労災保険指定の用紙で労働基準監督署へ請求します。再診時の休業証明（様式第8号）など労災独自のものもあるので、算定漏れがないよう注意しましょう

※③〜⑥では、保険請求以外にも月単位でまとめて請求するものがあります（請求内容は各クリニックによって異なります）

224

2 レセプト点検の手順

　レセプトの点検は、下記の①〜⑥の順に進めるのが定石です。

　月末業務終了後、紙レセプトで点検する場合は、印刷をしますが、院外処方の保険医療機関のレセプトは、処方した薬が記載されませんので注意しましょう。

① 月末までに電子カルテ等についている点検機能を使って、一度チェックをかける

② 勤め先のクリニックが別で契約しているレセプト点検チェックのソフトがある場合は次に行う

③ チェックが終了したら、紙に印刷か電子カルテ等の画面上でレセプト点検を行う

④ 病名漏れ・算定漏れ・保険番号等に間違いがないかチェックする

⑤ 病名漏れと思われるものは、医師に確認し、算定漏れと思われるものもカルテ等で確認する

⑥ 正しいレセプトデータができ上がった段階で、レセプト請求（オンライン請求等）に入る

これだけ！
アドバイス

● 院外処方のレセプト

　院外処方のレセプトは、処方箋料等の点数しか記載されないので、点検時は、薬が記載された確認用レセプトで点検しましょう。

	初　　診				初点	公費分		(11)	＊初診料	
12	再　　診		✕	回					初診　夜間・早期等加算	
再	外来管理加算		✕	回					初診　機能強化加算	421 × 1
診	時　間　外		✕	回				(80)		
	休　　日		✕	回					＊処方箋料（その他）	60 × 1
	深　　夜		✕	回					＊一般名処方加算2（処方箋料）	8 × 1
13	医学管理									
14	往　　診			回						
在	夜　　間			回						
	深夜・緊急			回						

病名転帰について

レセプトを作成するにあたって、日頃からこまめな病名整理が必要です。診療中に、病名転帰をきちんと行うことがベストですが、混んでいるときは、患者さんをお待たせしないために、ついつい後回しになってしまうことが多いと思います。

月末のレセプト点検時にすべてを行おうと思うと大変な作業になってしまいますので、基本的には早めに先生に確認するなどして普段からこまめな転帰を心がけましょう。「レセプトの病名がきれいに整理されていること」は、「審査支払機関等から信頼されるレセプト」の条件の１つでもあります。

＜病名転帰とは＞

電子カルテなどの病名欄を見ると「継続」「治癒」「中止」「死亡」のいずれかの記載があり、そのまま継続で通院されている方の病名に対してはすべて「継続」になっていると思います。

それ以外に風邪薬を処方したなど、一時的にお薬を処方し、次の来院時には治っていて薬を処方しなかった場合は、その病名が「治癒」になります。

また、調子が悪く、何かの病気を疑って検査した場合、検査した当日は「〇〇〇の疑い」という疑い病名がつきますが、次回の来院時に先生から検査結果を伝えられ、その病気であった場合は「〇〇〇の疑い」が「〇〇〇」の確定病名に変わり、なんともなかった場合は「〇〇〇の疑い」が「中止」で転帰されます。

何年も前の疑い病名が必要であればそのままでもよいのですが、解決したのに転帰をし忘れているというケースがよくあります。ごくまれに転帰し忘れていた程度なら、次回から気をつければよいことですが、転帰する習慣がなくほとんどの患者さんに古い疑い病名や急性病名が残っていると、審査支払機関等から「本当に管理できているのか？」と不信感を抱かれかねません。特に傷病名が 20 個以上残っていると審査の対象になりやすいので注意しましょう。「信頼されるレセプト」を目指すには最新の病名に整理されていることが大事ですが、診察もしながら先生１人で管理するのは大変だと思いますので、医療事務員側も普段から確認するよう努めましょう。

月の途中で保険者番号、記号・番号が変更になった場合のレセプト請求

【例1】 保険者番号に変更があった場合（保険が変わった場合）

➡保険者番号ごとに、それぞれ別々にレセプトを作成し請求する。変更後の
レセプトは、変更があった日を診療開始日として記載し、摘要欄にその旨
を記載する。

【例2】 記号・番号、任意継続に変更があった場合

（保険者は変わらず、内容に変更があった場合）

➡ 変更後の記号・番号を記載する。

【例3】 公費負担医療（単独）の変更があった場合（生活保護等）

➡ 市区町村番号または公費負担者番号、受給者番号ごとに、それぞれ別々
にレセプトを作成し請求する。

【例4】 医療保険と公費負担医療（併用）の場合

① 保険者番号の変更はないが、同種の公費負担医療で住所変更により公費負担
者番号に変更があった場合

➡ 変更前の公費負担医療に係る分は第一公費として、変更後の公費負担医
療に係る分は第二公費として取り扱う（レセプトは1枚で分けない）

② 月の途中から公費負担医療の併用となった場合などで、公費負担医療に関す
る点数と医療保険に関する点数が異なる場合

➡「公費分点数」欄に公費負担医療に関する点数を記載する

電子カルテ等の種類によって、
登録・入力方法が異なるため、
迷ったときは正しい入力方法を
確認しましょう

3 レセプト点検のポイント

図3-1 後期高齢者（1割）のレセプトのイメージ（院内処方）

診療報酬明細書（医科入院外）2国　令和6年6月分　県番23医コ 0505256

| | 1医科 | 3後期 | 1単独 | 8高外 |

保険者番号　3 9 0 0 0 0 0 0

記号・番号　0 0 0 0 0 0 0

公負①　　　　公受①
公負②　　　　公受②

氏名　○○　○○　①男 2女 1明 2大 ③昭 4平 5令 ○・○・○生

特記事項　26 区ア

職務上の事由

保健医療機関の所在地及び名称　（　床）

傷病名
(1) 高血圧症（主）
(2) 脂質異常症
(3) 高尿酸血症
(4) 慢性胃炎
(5) 大腸癌（疑）

診療開始日
(1) 令和3年 5月18日
(2) 令和3年 7月 8日
(3) 令和3年10月27日
(4) 令和3年11月24日
(5) 令和6年6月7日

転帰

診療実日数　保 2 日
① 日
② 日

| 11 | 初　診 | | 回 | 点 | 公費分点数 |

(6) 糖尿病（疑）　令和6年6月7日

12 再診	再　診		× 2 回	153
	外来管理加算	52 × 1 回	52
	時間外	× 回
	休　日	× 回
	深　夜	× 回

(12) ＊再診料、再診　明細書発行体制等加算
医療情報取得加算4（再診）　77 × 1
＊再診料、再診　明細書発行体制等加算　76 × 1

| 13 | 医学管理 | | 340 |

(13) ＊生活習慣病管理料2　333 × 1
＊薬剤情報提供料　4 × 1
＊薬剤情報提供料　手帳記載加算　3 × 1

14 在宅	往　診	回
	夜　間	回
	深夜・緊急	回
	在宅患者訪問診療	回
	その他	
	薬　剤	

20 投薬	21 内服	薬剤		90 単	300
		調剤	11 × 1	単	11
	22 屯服	薬剤		単
	23 外用	薬剤		単
		調剤	×	回
	25 処方		× 1	回	47
	26 麻毒			回
	27 調基		

(21) ＊オルメサルタンOD錠40mg「DSEP」 1錠
アムロジピンOD錠10mg「ファイザー」 1錠
ロスバスタチン錠2.5mg「DSEP」 1錠　5 × 30
＊アロプリノール錠100mg　3錠　2 × 30
＊レバミピド錠100mg　3錠　3 × 30

30 注射	31 皮下筋肉内	回
	32 静脈内	回
	33 その他	回

(25) ＊外来後発医薬品使用体制加算3（処方料）　5 × 1

(60) ＊血液化学検査　10項目以上
総ビリルビン、AST、ALT、ALP
γ-GT、BUN、クレアチニン、尿酸
ナトリウム及びクロール、カリウム、TG
総コレステロール、HDL-コレステロール
グルコース、アミラーゼ　103 × 1

| 40 処置 | 処　置 | 回 |
| | 薬　剤 | |

| 50 手術麻酔 | 手術・麻酔 | |
| | 薬　剤 | |

＊末梢血液一般検査、HbA1c　70 × 1
＊腫瘍マーカー　2項目
CEA、CA19-9　230 × 1
＊血液採取（静脈）B-V　40 × 1
＊生化学的検査（I）判断料　144 × 1
＊血液学的検査判断料　125 × 1
＊生化学的検査（II）判断料　144 × 1

| 60 検査 | 検　査 | 7 回 | 856 |
| | 薬　剤 | |

| 70 画像診断 | 画像診断 | 回 |
| | 薬　剤 | |

80 その他	処方せん	回
	その他	
	薬　剤	

療養の給付
		請　求 点	※	決　定 点	一部負担金額 円
保険		1,759			減額　割(円) 免除・支払猶予
公費①		点	※	点	円
公費②		点	※	点	円

※高額医療費　円　※公費負担点数 点　※公費負担点数 点

では、レセプト点検のポイントを、後期高齢者（自己負担：1割）のレセプト（院内処方）（図3-1）を例に見ていきましょう

基本情報に誤りがないか確認します。本人・家族の誤り・番号の入力間違い・負担割合の間違いなど、1つでも誤りがあると返戻されます

実日数2日ですが点数が異なっています。1日は医療情報取得加算4を算定しましたが、3か月に1回の算定であるため、もう1日の再診料には加算されていないことがわかります

病名と診療内容に相違がないか確認します。
病名が不足している場合は、医師に確認しましょう。内容と病名に相違がある場合は、返戻または減点の対象になります

（1）高血圧症が主病名であり、算定要件を満たしている場合は、生活習慣病管理料が算定できます。ここでは1回目の受診日に（2）333点を算定しており、2回目の受診日では再診料と外来管理加算を算定しています。外来管理加算は生活習慣病管理料と同日に算定できませんが、それ以外の受診日に算定の要件を満たしていれば算定することができます

オルメサルタン OD 錠　➡　（1）病名
アムロジピン OD 錠　➡　（1）病名
ロスバスタチン錠　➡　（2）病名
アロプリノール錠　➡　（3）病名
レバミピド錠　➡　（4）病名
※病名欄に該当しない薬があった場合は医師に確認しましょう

腫瘍マーカー検査2項目と、HbA1c は病名が必要です。
この場合、腫瘍マーカー CEA/CA19-9 に対して大腸がんの疑い病名がついています。もし、病名欄に大腸がんの確定病名がついていたら、検査の腫瘍マーカーではなく、⑬医学管理等の悪性腫瘍特異物質治療管理料で算定することになります。病名に対して算定方法が間違っていないかを確認してください。
また、HbA1c は糖尿病に対する検査ですが、この場合は疑いで検査を行っています。糖尿病患者に対して行った場合は糖尿病の確定病名になります。このように、患者さんの状態や病名によっても確定・疑いと異なる記載になります

2 | オンライン請求

電子レセプト内の請求データがきちんと整ったら、次はオンライン請求を行います。電子レセプトでの作業は、勤め先のクリニックが扱っている端末によってさまざまですが、オンライン請求に関する内容や画面は、どの保険医療機関も同じです。

1 オンライン請求の手順

　オンライン請求を行う際、誤った情報を送ってしまうと、そのあとの取り消し等の作業に時間を取られてしまいます。慎重かつ確実に作業しましょう。「1 レセプト点検」の点検作業と同じく、ミスを減らすには、正しい手順を身につけるのが近道です。社会保険診療報酬支払基金「オンライン請求システム操作手順書【運用】編＜医療機関・薬局用＞」をもとに、以下、手順を見ていきましょう。

① オンライン請求システムを起動する。
請求を行う審査支払機関のボタンをクリックします。

窓口が2つあるため、基本的には最初に社会保険診療報酬支払基金を選び請求を行い、ログアウト後、国民健康保険団体連合会を選び請求を行うため、計2回請求を行うことになります

② オンライン請求システムにログインする。

パスワードは
6か月に一度
変更します

③ レセプトデータを送信する。

この段階では
送信しただけで
確定はして
いません

④ **請求状況を確認する。**

請求状況を確認した結果、請求する場合は「請求確定」を、請求を取り消す場合は「請求取消」を必ず実行してください。

毎月 10 日 24 時時点で請求確定されていないデータは、システム側で自動的に確定されます。

平成XX年4月診療分　請求状況　（医科）

請求状況に「処理中」と表示され、受付処理が完了するまで時間を要する場合は、
一旦オンライン請求システムを終了してお待ちください。
なお、オンライン請求システムを終了後も受付処理は行われております。

（　）内の件数は、返戻レセプトの再請求分の再掲です。
[　]内の件数は、再審査等返戻レセプトの再請求分の再掲です。

XXXX/5/10 12:00 現在

送信回	送信日	請求確定日	診療科	請求確定回	入院	入院外	受付不能	要確認件数	請求確定件数	請求状況
6	5/10	―	―	―	50 (0) [0]	449 (10) [5]	1 (-) [-]	1 (0) [0]	―	請求確定(エラー分含む) 請求確定(エラー分除く) 請求取消
5	5/9	5/9	―	4	30	170	0	0	200	請求済(エラー分含む)
4	5/8	―	―	―	30	168	2	5	―	取消済
3	5/7	5/7	―	3	10	139	1	2	149	請求済(エラー分含む)
2	5/6	5/6	―	2	0	0	1	0	0	請求済(ASPなし)
1	5/5	5/5	―	1	20	329	1	9	340	請求済(エラー分除く)

請求確定していないデータは請求されません。

CSV一括
ダウンロード

⑤ **請求を確定する。**

平成XX年4月診療分　請求確定内容確認　（医科）

以下の内容で請求確定します。

よろしければ実行ボタンを押して下さい。

⚠ 受付不能分を除き請求確定します。
（要確認分については、返戻となる場合があります。
受付不能分は訂正のうえ再度請求可能です。）

送信回	送信日	診療科	請求確定回	入院	入院外	受付不能	要確認件数	請求確定件数
3	5/7	―	1	10	139	1	2	149

実行　　中止

エラーが
なければ「実行」
ボタンを押し、
完了します

⑥「オンライン受領書」を必ず発行する。

必ず印刷して、毎月保管してください

⑦トップページに戻り、「ログアウト」ボタンを押してログアウトする。

以上、大まかな流れだけを紹介しました

詳細な手順は下記のページを参照してください

※社会保険診療報酬支払基金「オンライン請求システム操作手順書【運用】編＜医療機関・薬局・訪問看護ステーション用＞」
https://www.ssk.or.jp/seikyushiharai/iryokikan/download/download_01.files/online_m_i.pdf

2 電子媒体による請求

　電子媒体による請求は、レセプトコンピュータでレセプト請求用のファイルを作成し、それを CD-R（光ディスク）などに書き込んで、支払基金や国保連合へ郵送します。

※ 2024 年 10 月 1 日からは、原則としてオンライン請求への移行となり、電子媒体による請求を続ける医療機関は 1 年単位の経過的な扱いとなります

3 | 返戻・増減点・過誤調整

レセプトはすべてが請求通りに通るわけではありません。一般的には当月請求分のレセプト点検を行っている最中に、不備があり審査が通らなかった前月請求分のレセプトが戻ってきます。その内容として返戻・増減点・過誤調整の3つがあり、それぞれ適切な処理をしなくては請求が通りません。

レセプトが受理されない場合の処理方法

　保険請求業務は、レセプトを審査支払機関（支払基金、国保連合）に送ることだけではありません。当月請求分よりも前に送ったレセプトは審査され、記載や算定に不備がある、または請求が妥当だと認められないなどの理由で審査決定ができなかった場合、保険医療機関に戻されます（図3-2）。

　それら不備のあるレセプトの処理方法には「返戻」「増減点」「過誤調整」があり、それぞれ適切な対応をしなければなりません。

 実際に戻される様式は記載方法がとても難しいですよね…

 どうすればよいかわからなくて的確な処理ができていない、または処理をせずにそのまま放置しているケースが多いみたいね

 わかりますわかります

図3-2 審査とレセプトの流れ

保険医療機関が保険者に再審査請求する、または保険者が保険医療機関に返戻や減点を申し出たい場合などは、お互い直接やり取りすることはせず、必ず審査支払機関が間に入り、この機関を通してやり取りする形になります

提出方法はオンライン請求や電子媒体による請求、または紙レセプトを提出するなどさまざまです

保険者
レセプト点検

再審査請求
（過誤調整依頼）

返戻

レセプトを送る

審査支払機関

支払調整額通知
（診療報酬支払過誤分と保険者からの再審査請求によるもの）

再審査

再審査請求

返戻

返戻

一次審査

返戻

事務点検

スタート

レセプト提出

レセプト受付

保険医療機関

◯ ：審査支払機関での事務処理など　　➡ ：レセプトの流れ

返戻

　レセプトは、審査支払機関（支払基金または国保連合）で審査されます。そこで審査決定ができないレセプトは、過誤調整依頼書（付箋）が貼付されて保険医療機関に返戻されます。また、返戻の際には、不備の内容などを記した「返戻内訳書」（図3-3）が一緒に送られてきます。2021年10月から、オンライン請求を行っている保険医療機関は、各保険医療機関でオンライン請求画面から返戻をダウンロードすることとなり（➡ p.238）、「返戻内訳書」もダウンロードが可能となりました。

どういう状態？

　「返戻＝そのレセプトの請求額全部が保留」であるため、正しく補正して送り返さない限り、その金額全部が処理（振り込み）されることはありません。

対処法は？

　紙の返戻レセプトの場合は貼付された付箋の内容に基づいて正しく補正し、ダウンロードの場合は不備内容を見て修正した後、そのままオンライン請求時にデータとして送り返します。どちらであってもなるべく早く審査支払機関に再請求する必要があります。内容が正しければ正常に受付されます。

これだけ！
アドバイス

● 紙の返戻に関する4つの注意点

① 請求期日は毎月10日で、保険請求と同じです。10日までに提出できなかった場合は、次月の10日までに提出しましょう。

② 付箋は取らずに、必ずつけたままで送ること。

③ 戻ってきたレセプトの訂正箇所を二重線で削除し、正しい内容に修正します。

④ 請求書をつけて編綴します。

図3-3 返戻内訳書（社保）のイメージ

（機械様式第20号の2）

Ⓐ

4 月 分 返 戻 内 訳 書 ページ 1

医療機関コード：12．3456．7
医療機関名 ：○○医院 御中 社会保険診療報酬支払基金○○○支部

資格返戻	診療年月	受付番号	保険者番号等	区分	給付区分	氏　名	日数	請求点数	一部負担金	患者負担金額（公費分）	食事・生活基準額	食事・生活標準負担額	事　由
＊		0205-56,789,243	0613＊＊＊＊	本・外		○○　一郎	3	1,300					5006【保険者による資格返戻】記号・番号の誤り
		0205-56,789,012	0613＊＊＊＊	本・入		○○　太郎	14	50,013				¥28,624	6002　傷病名を整理願います
	0203	0205-56,789,123	0613＊＊＊＊	家・外	長	○○　花子	10	23,456					5106　給付割合の不備です

Ⓐの診療月と異なる場合に表示されます。当月とは限りませんので、査定された月を確認してください

「事由欄」には、返戻事由コード、返戻事由が表示されます。戻ってきたレセプトに貼ってある付箋にも書いてあるので、返戻となった理由を確認します

 返戻になった分は、必ず再提出！

 再提出しないとお金が入らないんですよね

 でも、支払いは通常よりも遅れちゃいますね…

 そう、だから返戻のないレセプト作成が大切よ！

返戻レセプトのダウンロード

電子レセプトでオンライン請求を行っている医療機関は、2021 年 10 月診療分より返戻レセプトを紙ベースの処理でなく、オンライン上からダウンロードを行いそのまま訂正して送信できるようになりました。その後、2023 年 3 月診療分（2023 年 4 月請求）から返戻レセプトの再請求については紙レセプトのみで返戻されたものを除き、完全にオンラインで対応することとなりました。

① オンライン請求システムを起動する。

ダウンロードを行う審査支払機関のボタンをクリックします。

社会保険診療報酬
支払基金と国民健康保険
団体連合会、それぞれの
ダウンロード分を
確認します

② 通常通りログインを行い、「トップページ画面」に進む。

返戻ファイルがある場合、処理状況欄に赤字で「未ダウンロードの返戻レセプトがあります。」などと表示されます。画面左の「返戻レセプト」ボタンを押してください。

③ ダウンロードするデータに応じて、「原審査分」または「再審査分」ボタンを押す。

原審査分：請求先より返戻になったレセプトデータ
再審査分：保険者より返戻になったレセプトデータ

④ ダウンロードボタンを押す。

ダウンロード日欄に日付がある場合は、過去にダウンロードボタンを押されています。処理が済んでいる場合は、再度ダウンロードする必要はありません。

返戻レセプトダウンロード (医科)

直近3か月分の返戻レセプトがダウンロードできます。

項番	処理年月	返戻レセプト件数	ダウンロード日	ダウンロード
1	令和X年2月	1	未ダウンロード	ダウンロード
2	令和X年1月	1	未ダウンロード	ダウンロード
3	令和X年12月	1	未ダウンロード	ダウンロード

ダウンロードは、直近3か月分しかできません。作業を後回しにせず、毎月ダウンロードを行いましょう

返戻内訳書はオンライン請求のメニュー画面にある「各種帳票等」からダウンロードできます（過去12か月分のダウンロードが何度でも可能です）

⑤ 返戻レセプトデータをダウンロードし、保存する。

「▼」を選択して「保存」を押しても保存場所は表示されません。「名前を付けて保存」の文字を選んで保存してください。

ダウンロード後の操作方法は、各医療機関の操作マニュアルで確認してください

詳細な手順は下記のページを参照してください

※社会保険診療報酬支払基金「オンライン請求システム操作手順書【運用】編＜医療機関・薬局・訪問看護ステーション用＞」
https://www.ssk.or.jp/seikyushiharai/iryokikan/download/download_01.files/online_m_i.pdf

これだけ！
アドバイス

●オンライン請求上で直接訂正できない

間違えてはいけないのは、オンライン請求上で直接訂正できるわけではなく、一度お使いの電子カルテ等に取り込み（ダウンロード）、電子カルテ等内にて修正後、オンライン請求システムで送り返すことになります（詳しい操作方法等はお使いの電子カルテ等メーカーに確認しましょう）。

また、現状として、すべての返戻分がオンライン上のみのダウンロードではなく、紙レセプトでも同じレセプトが再度返戻されている場合があります。その場合、ダウンロード上にはない紙レセプトの返戻のみを紙レセプトで再請求し、ダウンロードと紙レセプト両方から同じ内容が届いている場合は、オンラインでの請求となります。どちらも請求して重複請求にならないようにしましょう。

保険資格が変更された電子レセプトの振替・分割について

2021年9月診療分以降、電子レセプトでオンライン請求を行っている保険医療機関に対して保険資格が変更になっている場合、レセプトを一度保険医療機関に返戻することなく、新資格の保険者に振替または分割を審査支払機関で行うことになりました（図3-4）。これにより、レセプトの返戻は減少すると予想されます。

- 振替……当月分がすべて新資格に変更である場合は、新資格の保険者へレセプトを送付する
- 分割……当月分が新旧の資格をまたぐ場合は、各資格分に分割してレセプトを送付する

ただし、以下のように変更や特定できないものは振替・分割ができず、返戻扱いとなります。
・公費負担が含まれるレセプトの場合
・高額療養費の支給対象額や負担割合が変更となる場合
・資格の未加入期間があり、請求先の保険者が特定できない場合

これだけ！
アドバイス

振替・分割の資格確認結果連絡書が届いた場合、正しい保険先へ変更してあるため、返戻処理をする必要はなくなりますが、必ず、その変更があった月の電子カルテ内の内容も正しく変更しておく必要があります。同時に電子カルテ等の情報も正しく修正しておかないと、次の月も古い情報で保険請求してしまう可能性があります。

※資格確認結果連絡書は、オンライン請求のメニュー画面にある「各種帳票等」からダウンロードできます（過去12か月分のダウンロードが何度でも可能です）。

図3-4 振替・分割のイメージ（5月15日に資格喪失した場合の例）

	審査支払機関受付時	旧保険者へ請求	新保険者へ請求
振替	レセプト 5月診療分 保険者0113＊＊＊＊ 記号 1 番号 1234 　　　　受診日：15日 　　　　　　　24日 2,500点	（なし）	レセプト 5月診療分 保険者0613＊＊＊＊ 記号 1 番号 1234 　　　　受診日：15日 　　　　　　　24日 2,500点
分割	レセプト 5月診療分 保険者0113＊＊＊＊ 記号 1 番号 1234 　　　　受診日：10日 　　　　　　　24日 2,500点	レセプト 5月診療分 保険者0113＊＊＊＊ 記号 1 番号 1234 　　受診日：10日 1,500点 　　　　　　3＊＊＊＊ 番号 1234 　　受診日：10日 　　　　　~~24日~~ ~~2,500点~~	レセプト 5月診療分 保険者0613＊＊＊＊ 記号 9 番号 9876 　　受診日：24日 1,000点 　　　　　~~3＊＊＊＊~~ 番号 ~~1234~~ 　　受診日：~~10日~~ 　　　　　24日 ~~2,500点~~

242

増減点

　返戻と同じく提出したレセプトで、審査の結果、請求内容が妥当でないと考えられるものについては減点等が行われ、「増減点連絡書」（図 3-5）が送られてきます。オンライン請求を行っている場合は、ダウンロードも可能です。

どういう状態？

　妥当だと認められないもの以外は審査が通り、支払い決定となりますが、認められずに減点された部分に対しては、再審査請求（保険医療機関側からの再審査請求 ➡ p.253）を行わない限り、請求点数が復活することはありません（減点以外の分は正常に処理されます）。

対処法は？

　カルテ等を見ながら、減点された内容について「なぜ減点査定になったのか？」と原因を究明します。結果、保険医療機関側の不備であれば、これからの注意事項として、スタッフ全員で内容を共有します。
　もし、内容に不備があると思えず不服である場合は、その内容を再審査請求（保険医療機関側からの再審査請求 ➡ p.253）をすることができます。

　　＜よくある減点対象＞
　　・病名漏れ、適応外の算定、重複の算定など
　　・特定疾患療養管理料算定の患者に対して処方を行った場合の特定疾患処方管理
　　　加算の算定誤り
　　・悪性腫瘍（がん）病名がある方の腫瘍マーカー検査算定誤り
　　・月に１回と決められた検査の過剰算定（例：HbA1c を月 2 回算定など）

増減点表は、
基本的に減点が
ほとんどです

図3-5 増減点連絡書（社保）のイメージ

（機械様式第20号の1）

A | 4 月 分　　増 減 点 連 絡 書　　　　　　ページ　　1

医療機関コード：12，3456，7
医療機関名　　：○○医院　　　　　　　御中　　　　　　　社会保険診療報酬支払基金○○○支部

診療年月	受付番号 レセプト番号	保険者番号等	区分	給付区分	氏　名 カルテ番号	箇所	法別	増減点数（金額）	事由	負担	請求内容	負担	補正・査定後内容
0203	0205-12,345,678 000,001	0613 ＊＊＊＊	本外		○○　太郎	60	06	-37	F	1	○○○○○　　　　74 × 1	1	○○○○○　　　37 ×1
						合計	06	-37	**B**		2,193	**C**	2,156
	0205-98,765,432 000,020	0613 ＊＊＊＊	家外	長	○○　花子	21	06	-150	B	1	○○○錠　100mg 　　2錠　30 × 10		縦覧点検 ○○○錠　100mg 　　1錠　15 × 10 B：療養担当規則等に照らし、医学的に過剰・重複と認められるもの
						合計	06	-150			1,000		850
	0205-98,765,765 000,050	0613 ＊＊＊＊	本外		○○　一郎	21	06	-100	C	1	○○○錠 ○○○錠　100mg 　　1錠　20 × 10		○○○錠　100mg 　　1錠　20 × 5 C：療養担当規則等に照らし、A・B以外の医学的理由により適当と認められないもの
							06	-100			2,500		
備考													

（Aの診療月と異なる場合に表示されます。当月とは限りませんので、査定された月を確認してください）

（欄外「記号凡例（増減点事由）」）

（Bは最初に保険医療機関側が請求した内容です。そこから適当と認められず減点されたものを抜いた分がCです。何か項目が削除されていたり、投与日数や回数等が減っているものが今回の減点対象となったものです）

記号凡例
（増減点箇所）

11　初　　診	31　皮下筋肉内	90　入院基本料
12　再　　診	32　静脈内	92　特定入院料・その他
13　医学管理	33　注射その他	97　食事・生活療養
14　在　　宅	39　薬剤料減点	標準負担額
21　内　　服	40　処置・薬剤	
22　頓　　服	50　手術・薬剤	
23　外　　用	54　麻酔・薬剤	合計（療養の給付合計）
24　調　　剤	60　検査・病理	食事（食事療養合計）
25　処　　方	70　画像診断	集計（集計誤り）
26　麻　　毒	80　その他	
27　調　　基		
28　投薬その他		

（増減点事由）

1　診療内容に関するもの		2　事務上に関するもの	
A　療養担当規則等に照らし、医学的に保険診療上適応とならないもの		F　固定点数が誤っているもの	
B　療養担当規則等に照らし、医学的に保険診療上過剰・重複となるもの		G　請求点数の集計が誤っているもの 縦計計算が誤っているもの	
C　療養担当規則等に照らし、A・B以外で医学的に保険診療上適当でないもの		K　その他	
D　告示・通知の算定要件に合致していないと認められるもの			

（補正・査定後内容）

縦覧点検
　複数月にわたるレセプトの通覧点検により補正・査定された内容
入外点検
　入院と入院外レセプトの通覧点検により補正・査定された内容

（送られてきた増減点連絡書に異議アリです！）

（それじゃ、再審査請求をしましょう）

増減点連絡書等のダウンロード

オンライン請求を行っている医療機関では、返戻レセプトのダウンロードに続き、増減点連絡書および突合点検結果連絡書等もダウンロードで確認できるようになりました。返戻レセプトは直近3か月分のダウンロードが可能ですが、増減点連絡書等は12か月分が可能です。

① オンライン請求システムのトップページにある、「各種帳票等」ボタンを押す。

増減点連絡書以外にも、返戻内訳書や支払通知書等もダウンロードできるようになりました。当面は、紙媒体でも郵送されますが、返戻レセプトと同じく順次送付が廃止になります

② 「増減点連絡書」ボタンが表示されるので、それを押す。

③「増減点連絡書」ボタンを押すと、「増減点連絡書ダウンロード」画面が表示されるので、ダウンロードする処理年月の「ダウンロード」ボタンを押す。

④ 増減点連絡書等データをダウンロードし、保存する。

「▼」を選択して「保存」を押しても保存場所は表示されません。「名前を付けて保存」の文字を選んで保存してください。

ダウンロード後の操作方法は、各医療機関の操作マニュアルで確認してください

詳細な手順は下記のページを参照してください

※社会保険診療報酬支払基金「オンライン請求システム操作手順書【運用】編＜医療機関・薬局・訪問看護ステーション用＞」
https://www.ssk.or.jp/seikyushiharai/iryokikan/download/download_01.files/online_m_i.pdf

過誤調整（再審査請求）

審査支払機関で診療報酬の額が決定したあとレセプトは、保険者に送られます。次に保険者が審査し、請求内容が妥当でないとみなしたレセプトがあれば、審査支払機関に戻し、再審査を請求（保険者側からの再審査請求）します。これを審査支払機関が再審査を行い、保険者の申し立てを認めた場合は、翌月分で返戻または減額され、保険医療機関に「再審査等支払調整額通知票」（図3-6・3-7）が送付されます。なお、オンライン請求を行っている医療機関については、2024年10月以降はオンライン請求システムにより配信される予定です。

どういう状態？

審査支払機関では一度認められたものの、支払い側の保険者が不服で妥当だと認めず、保険者が審査支払機関に申し立てを行い、審査支払機関からも申し立てが認められた場合、過誤調整で返戻または減点処理されます（審査支払機関の減点等よりも数か月後に保険医療機関に送られてきます）。

対処法は？

返戻・増減点の場合と同じく、返戻はレセプトを補正して再請求し、増減点は減点の原因を究明します。なお、増減点に不服の場合は保険医療機関側も再審査請求（保険医療機関側からの再審査請求）を行うことができます。

戻ってきたレセプトに対して、どこをきちんと修正または内容に対する理由（コメント）をつければ受理されるのか、よく考えて再度提出してください

保険者の再審査による通知票は、最初にくる審査支払機関からの返戻・増減点よりも遅れて通知がきます

図3-6 再審査等支払調整額通知票（返戻分）のイメージ

（機械様式第101号）

再審査等支払調整額通知票（返戻分）　　　　　　　ページ　　1

医療機関コード：<u>12 − 34567</u>

医療機関名　　：○○医院　　　　　　御中

点数表：1　　　　診療科：○○○○　　　　　　　　　　　　　社会保険診療報酬支払基金○○○支部

令和○○年○○月診療分において、下記のとおり再審査等に係る調整をしましたので通知いたします。

診療年月区分	保険者番号（継承前）	受給者番号主保険者	患者氏名カルテ番号	生年月日整理番号	療養の給付 点数一部負担金	食事・生活 基準額標準負担額	日数回数	調整金額調整支給額	請求理由	備考
0204本 外	0613 ****		○○ 太郎000-000001	S40.08.162214220591000101	-1,234		-2	-8,638	【請求理由】100018　資格喪失後の受診	

再審査等の返戻に係る調整金額について、調整した診療年月を表示します。

当該レセプトを返戻することとなった請求理由コードおよび請求理由を表示します。戻ってきたレセプトに貼ってある付箋にも書いてあるので、返戻となった理由を確認します

件数	合計調整金額	合計調整支給額	備考欄の数字は以下のとおりです。
1	-8,638	0	1：保険者「42-13-6010」は、70歳代前半表示しています。

図3-7 再審査等支払調整額通知票（補正・査定分）のイメージ

（機械様式第101号）

再審査等支払調整額通知票（補正・査定分）　　　　　ページ　　1

医療機関コード：<u>12 − 34567</u>

医療機関名　　：○○医院　　　　　　御中

点数表：1　　　　診療科：○○○○　　　　　　　　　　　　　社会保険診療報酬支払基金○○○支部

令和○○年○○月診療分において、下記のとおり再審査等に係る調整をしましたので通知いたします。

診療年月区分	保険者番号（継承前）受給者番号主保険者	患者氏名カルテ番号生年月日整理番号	調整金額日数点数一部負担金	調整支給額回数基準額標準負担額	増減点項目・事由（請求番号）	Ⓐ 請求内容	Ⓑ 補正・査定後内容	備考
0204本 外	0613 ****	○○ 太郎0000000-0001S40.8.1649142205920002002	-112-16		-1621　B(2)　B	【請求理由】100060診療内容に関するものA　錠　600mg　3錠B　錠　10mg　3錠C　細粒　10%1.5g　17×4	A　錠　600mg　3錠B　錠　10mg　3錠13×4B：療養担当規則等に照らし、医学的に過剰・重複と認められるもの	
					-16	20,184	20,168	

査定された月を確認してください

Ⓐは最初に保険医療機関側が請求した内容です。そこから適当と認められず減点されたものを抜いた分がⒷです。何か項目が削除されていたり、投与日数や回数等が減っているものが今回の減点対象となったものです

件数	合計調整金額	合計調整支給額	備考欄の数字は以下のとおりです。	
1	-112	0	1：保険者の金額	

本帳票に印字しているレセプトについては、保険者等から電子レセプトにより再審

4 | 突合点検・縦覧点検・入外点検

審査支払機関は、オンラインまたは電子媒体を通して請求している保険医療機関を対象にレセプトの点検を行っています。点検の種類には、レセプト内容の記載不備や請求内容が妥当だと認められないものがないかのチェックのほかに、突合点検・縦覧点検・入外点検と呼ばれるものがあります。3つの違いを同時に覚えておきましょう。

突合点検

審査支払機関が、院外処方として処方箋を発行した保険医療機関のレセプトと、調剤薬局の調剤レセプトを突き合わせて点検することを突合点検といいます（図3-8）。突合点検では、投与量、投与日数・病名等に不都合がないかがチェックされ、不備があれば、保険医療機関に「突合点検結果連絡書」（図3-9）が送付もしくはオンライン配信されます。

突合点検の処理

勤め先のクリニックに「突合点検結果連絡書」が届いたら、次の処理を行います。

① まず減点内容を把握し、減点の理由が、勤め先のクリニックの発行した処方箋の内容の不適切によるものなのか、調剤薬局が処方箋と異なる調剤を行ったためなのか原因を究明します

② 調剤薬局の不備だと思われる場合、必ず調剤薬局に連絡して内容を確認します

③ 調剤薬局の不備で減点になっていることが判明した場合には、「突合点検結果連絡書」に直接その旨を記載した「処方箋内容不一致連絡書」にそのときの処方箋の写しを一緒に添付し不一致の申し出として18日必着で審査支払機関に郵送します

※突合点検結果連絡書もダウンロードが可能となりました（➡ p.245）

調剤薬局に不備があると申し出が認められた場合には、調剤薬局の報酬から調整されます。その結果は「突合点検調整額連絡票」（図3-10）として保険医療機関に送付もしくはオンライン配信され、調剤薬局には突合点検調整額通知票が送られます。なお、調剤薬局に非があってもそのまま18日までに申し出をしなければ、保険医療機関側の診療報酬から調整されることになるため注意が必要です。保険医療機関側の不備であった場合は申し出をする必要はなく、そのまま保険医療機関側の診療報酬から調整されます。

 査定内容が薬局の請求による不備であっても、
18日までに申し出ないと保険医療機関の不備とみなされます

図3-8 突合点検の流れ

 保険者が行う突合再審査もあります。処理の流れは、突合点検と同じです

図3-9 突合点検結果連絡書のイメージ

（機械様式第120号の1）

令和　年　月分　突　合　点　検　結　果　連　絡　書
（兼　処方箋内容不一致連絡書）

医療機関コード：　12 - 34567

医療機関名　　：○○医院　　　　　　　　御中　　　　　　　　　　　　　　　　　　　　　　ページ

社会保険診療報酬支払基金 ○○○ 支部

診療年月 受付番号 レセプト番号 診療科1	保険者 番号等	区　分 氏　名 カルテ番号	調整金額		増減点数 （金額）		事由	処方 月日 調剤 月日	負担	請求内容	負担	補正・査定後内容	薬局コード
			法別	金額	法別	点数 （金額）							
1231-56, 789, 100000, 005	06 ＊＊＊＊＊＊	本外 ○○ 太郎 12345678901234567890	06	￥700	06	-100	A	0112 0112	1 1	A 錠 100mg 10錠 B 錠 10mg 3錠 20×10 薬剤科　　200		B 錠 10mg 2錠 10×10 薬剤科　　100 A：療養担当規則等に 照らし、医学的に適応 と認められないもの 審査結果の理由等：『レ セプト記載の傷病名等 より、適応外と判断し ます。』	東京都 9876543 支払薬局 03-1234-5678

> 発行した処方箋の内容と相違する場合は、該当箇所を○で囲み、そのときの処方箋の写しを添付して申し出をします。

・備考
・こ〜〜いただきました〜〜ついては、保〜〜から処方箋〜〜より寄せ、内〜〜認の上、突〜〜よる査定額〜〜（貴院又は〜〜を決定させていただきます。
・申出のない査定分につきましては、翌月の支払時に貴院の診療報酬から調整させていただきます。

図3-10 突合点検調整額連絡票のイメージ

（機械様式第120号の8）

突合点検調整額連絡票（医療機関）　　　　　　ページ　　　1

医療機関コード：12 - 34567

医療機関名　　：○○医院　　　　　　御中

点数表：　1　　診療科：○○○○　　　　　　　　　　　　社会保険診療報酬支払基金○○○支部

下記の突合点検等に係る減点内容について、処方箋（写）を確認した結果、
令和　　年　　月調剤分において、減点分に係る費用を調剤した保険薬局から調整しましたことを連絡いたします。

診療年月 区分	保険者番号 （継承前） 受給者番号 主保険者	患者氏名 生年月日 整理番号	調整金額 日数 点数 一部負担金	調整支給額 回数 基準額 標準負担額	増減点 （番号）、項目、 事由	増減点内容	備考
0202 本 外	0613 ＊＊＊＊	○○ 太郎 S55.09.20 13142205910001001	-2,100 -300			【薬局コード】78-54321 【所在地】○○○ 【名称】○○○薬局 【TEL】123-123-1234	
					- 300 99　A	請求内容 6/11 処方月日　6/11 調剤月日　6/11 A：療養担当規則等に照らし、医学的に保険診療上適応 とならないもの ○○錠　2錠　　　　　　　　　　　　　30×10 → 0	
件数							
1							

> 保険医療機関からの申し出が認められ調剤薬局から費用調整された場合に、保険医療機関へ送られる様式です。調剤薬局へは「突合点検調整額通知票」が送付されます。

調剤薬局の不備だと思われる場合、勝手に保険医療機関側だけで判断せず、必ず担当した調剤薬局に連絡して内容を確認しましょう（突合点検結果連絡書の減点理由のところに、患者さんが利用した薬局名と電話番号が載っています）。保険医療機関側の勝手な判断で送ってしまうと、本当に調剤薬局の間違いであったのか、わからない部分がありますので、その後悪い関係にならないためにも調剤薬局側に了承を得て申し出たほうが、円滑な処理ができます。

縦覧点検

　審査支払機関が、同一保険医療機関における同一患者さんの当月のレセプトと、前月以前（直近6か月位前まで）のレセプトを併せて点検することを縦覧点検といいます。複数月に1回など算定制限のあるものや連月で過剰と思われる算定等を確認します。

入外点検

　審査支払機関が、入院・外来の機能をもつ保険医療機関に対して、同一診療月の入・外レセプトを点検すること（1か月のうちに入院と外来があった患者に対して）を入外点検といいます。
　入・外通して月1回の算定とされているものが適正に算定できているかなどを確認します。

5 | 再審査請求・取り下げ請求

再審査請求と取り下げ請求は、同じ用紙または、各様式を用いて手続きを行います。一見似たもののように思いがちですが、それぞれの意味はまったく異なります。手続きの手順も異なるため、ミスをなくすためにも両者の意味をしっかり押さえておきましょう。

1 | 再審査請求の2つの意味

「再審査請求」は文字通り、再審査を願い出る行為をいいます。しかし、医療事務で用いる「再審査請求」という言葉には、以下の2つの意味があるので注意が必要です。

- 保険者側からの再審査請求……審査支払機関で審査したあと、保険者に送られたレセプトは、再度各保険者が点検します。そこで保険者がレセプトの内容に対して妥当でないとみなしたものに対して、保険者側が審査支払機関に再審査請求すること
- 保険医療機関側からの再審査請求……審査支払機関または、保険者から減点されたものに対して不服である場合に行う保険医療機関側の再審査請求であること

2 保険医療機関側からの再審査請求と取り下げ請求について

再審査請求と取り下げ請求は紙の「再審査等請求書」（図3-11）を用いて行う方法と、オンライン請求システムで提供している「医療機関再審査等請求ファイル作成ツール」を使用して再審査等請求ファイルを作成し、オンラインにより請求する方法があります。紙の場合、似たような用紙で処理するため、混同しがちですが、もちろん意味は異なります。それぞれの違いを理解しておきましょう。

- **再審査請求**……減点されたものに対して不服である内容を「請求理由」に記載します。再審査の結果は、「再審査等支払調整額通知票」で通知されます
- **取り下げ請求**……いったん提出したレセプトの請求漏れや保険変更等の記載不備等に気づいた場合に、審査支払機関に提出し、いったん請求を取り消すことであらためて再請求し直すことができるものです

※再審査請求や取り下げ請求もオンライン請求システムにより提出可能となりました（各医療機関の操作マニュアル等でご確認ください）

図3-11 再審査等請求書（社保）のイメージ

1枚で再審査請求、取り下げ、どちらも書ける様式と別々で書く様式のものがあります。用紙は、支払基金・国保連合それぞれのHPからダウンロードできます。また、オンライン請求システムからの提出も可能です

付録

① 現場で役立つ接遇・マナー

② 現場で役立つ外国人応対

毎日、いろいろなケースの
患者さんがみえると思うので、
基本をまず覚えて、あとは臨機応変に
対応できるように日々
頑張りましょう！

患者さんに不安を
与えることなく
しっかりとした応対が
できるように
頑張ります

付録① 現場で役立つ接遇・マナー

医療事務員は患者さんと最初に会う「医療機関の顔」です。医師やコメディカルスタッフの医療サービスを支える、縁の下の力持ち的な役割もあります。とても重要な役割を担っていますので、プロフェッショナルな対応を心がける気持ちが大切です。

また、受付はステージと同じです。常にたくさんの患者さんから見られているということを意識して慎重に応対しましょう。

ホスピタリティの大切さ

サービス業のみならず、最近では医療現場でも頻繁に「ホスピタリティ」という言葉が使われるようになりました。「サービス」と「ホスピタリティ」の違いをひと言で言うなら、

- **言われてからするのが「サービス」**
- **言われなくてもするのが「ホスピタリティ」**

ということになります。

「ホスピタリティ」は、「思いやり」「心からのおもてなし」という意味です。形や行動などで示す「マナー」はあくまで相手に不快感を与えないための最低限のルールです。そこに「心」が加わるとで、「ホスピタリティ」になり、信頼、安心感が生まれます。

> **いつでも自分から気を配る**
> 不安や苦痛を抱えた患者さんは、あたたかな表情とやさしい言葉がけにほっとするものです。
> 「用事があれば向こうから声をかけてくるはず」という気持ちではなく、いつも自ら周囲に気を配り、患者さんやご家族の動きを把握するように心がけましょう。

≪セルフチェックリスト≫

チェック	
☐	業務開始前に身だしなみをチェックしていますか？
☐	あいさつを自ら進んで行っていますか？
☐	相手の目を見て、明るく、丁寧に、応対できていますか？
☐	ひとりひとりの患者さんに合わせて、事務的な応対にならないよう心がけていますか？
☐	患者さんが話し掛けやすいように、オープンな雰囲気を作るよう心がけていますか？

STEP UP

患者さんへの配慮と思いやりを態度で表現するために

①話しかけられたときは？

　いったん業務の手を止めて、目だけでなく体を向けて相手の話を聞く姿勢を取りましょう。

②ご案内で大切なことは？

　患者さんのペースに合わせて歩き、時には声をかけながらご案内しましょう。特に受付から見えづらいところは見えるところまで出てご案内するほうが丁寧です。

③患者さんと話す際の位置は？

　近づきすぎると威圧感を与えてしまいますから相手のパーソナルスペースを意識しましょう。また、座っている患者さんには、斜めの位置にしゃがんでお話するとお互いリラックスして話を進めることができます。

> 椅子に座っている患者さん等の前を横切るときや、すれ違うときには軽く会釈をします。廊下を歩くときも、常に患者さんが優先です。すぐに患者さんにゆずれる配慮をしましょう。

医療機関で使う挨拶と言葉づかい

挨拶と声かけの言葉

言葉	状況
おはようございます こんにちは／こんばんは	患者さんなどとすれ違うとき 患者さんが来院したとき
お大事に（してください）	患者さんが帰るとき、いたわりの気持ちを表すとき
失礼します（いたします）	患者さんの病室に入る前（退室の際には「失礼しました」） 患者さんの体に触れるとき
お疲れさまでした	診察や検査・リハビリなどが終了したとき
どうなさいましたか／ いかがなさいましたか	来院した方が迷っているとき、困っているとき
すみませんが／恐れ入れますが	お願い・お断り・お聞きしたいときに

言葉づかいの悪い例・良い例

	悪い例	良い例
た ず ね る と き	誰ですか	どなた様ですか（どちら様ですか）
	いますか	いらっしゃいますか
	何のご用ですか	どのようなご用件でしょうか
	どうでしょうか	いかがでございましょうか
	どうしますか	どうなさいますか
	ちょっと聞きたいのですが	少々おうかがいしたいのですが
こ た え る と き	ありません	ございません
	やれません（できません）	いたしかねます
	いません（います）	おりません（おります）
	行きます	うかがいます、まいります
	知りません	存じません、うかがっておりません
	わかりました	承知しました、かしこまりました
	わかりません	わかりかねます
	そうです	さようでございます
	すみません	申し訳ございません
依 頼 す る と き	ちょっと待ってください	少々お待ちくださいませ
	電話してください	お電話をお願いいたします
	来てください	お越しいただけますか
	言ってください	お申し付けください

電話応対

　電話は相手の顔が見えないため、声のトーンや速度、語気の強さなどで印象が決まります。特に医療機関では、具合の悪い方、耳の遠い方、高齢の方など、さまざまな患者さんとの電話を受けますので、安心感を与えられる話し方を身につけましょう。

＜電話応対の3つのポイント＞
1. 自分が**クリニックの代表**という気持ちで
2. 顔が見えなくても**笑顔**で応対、ハキハキと明るい声で
3. 用件を的確に聞く・伝える（**メモをとる**）

〈電話を受ける・取り次ぐ〉

| 電話が鳴ったら
メモとペンを用意 | | ○○クリニック　事務のAでございます |
| | | △△病院のBですが、院長様をお願いします |

↓

| 相手を確認して、
挨拶をする | | △△病院のB様でいらっしゃいますね
いつもお世話になっております
かしこまりました。院長におつなぎいたしますので、少々お待ちくださいませ |

▶ メモの活用

電話を受けるときもかけるときも、きちんとメモを取ることが大切です。

> かけるときは、まず相手の名前、電話番号、用件を書き留めてからかけるとよいでしょう。

受ける際のメモのポイント
❶ 宛名　　❷ 電話を受けた日時
❸ 相手の会社名と名前（または患者さんの名前とID）
❹ 伝言内容　❺ 相手の連絡先（連絡を折り返すときなど）
❻ 電話を受けた人の名前

▶電話を受けるときの注意点

- 3コールまでに電話に出ましょう

  ➡3コール以上鳴ってしまったら、「大変お待たせいたしました」と言いましょう

- 第一声が大事です。明るく、分かりやすい口調で話しましょう

  ➡あなたの表情を、待合室の患者さんが見ています

- 用件は必ずメモをとりましょう　➡後々の申し送りが正確です

- 相づち（「はい」など）を入れましょう　➡無言や「うんうん」は×

- 受話器は相手が切ってから置きましょう

  ➡せっかく丁寧に応対しても、最後に台無しになります

- 用件を確認するために保留が長くなりそうなときは、再度折り返すようにしましょう

  ➡早めに判断しましょう

    ★自分がお待たせしたと思う時間の倍の時間、相手は待たされたと感じています（立場によって体感時間が異なります）。

こんなとき
どうする？

● **相手が名乗らない…**

➡「失礼ですが、どちら様でいらっしゃいますか？」と

応対する

● **相手の声が小さくて聞き取れない…**

➡「大変申し訳ございません。お電話が少し遠いようですので、もう一度お願いできますでしょうか？」と応対する

※電話の応対は組織によって決まりがあることがありますので、その場合は基本を踏まえ組織のルールに従ってください。

クレームの対応

　クレームとは、患者さん側の期待と実情のズレから生まれます。つまり、患者さんの期待に反したときに生じる改善意見ともいえます。場合によっては、患者さんの誤解から生まれた苦情や理不尽な感情が伴う内容もあります。しかし、クレームを受けた場合は謙虚に受け止め、クリニックの代表として冷静かつ誠意をもって対応することが必要です。

▶クレーム対応の基本
①話を最後まで聞き、状況を把握する
　患者さんの話は、必ず最後まで聞いてください。たとえ話に誤解があっても途中でさえぎるのは厳禁です。最後まで話を聞き、何に対するクレームで患者さんはどうしてほしいのかを冷静に判断しましょう。
②感情的にならない
　クレームを出される患者さんは少なからず感情的になっています。それにつられてこちらまで感情的になってはいけません。あくまで冷静に、個人としての意識を捨てて話しましょう。
③お詫びの言葉を述べる
　クレームの内容に関してではなく、ご迷惑をおかけしたことをまずお詫びします。
④言い訳しない、その場しのぎの嘘をつかない
　言い訳・嘘は最も禁物です。患者さんの神経を逆なでし、一層嫌な気持ちにさせることは確実です。ミスを認める勇気も必要です。
⑤速やかに判断し、対応する
- こちらのミスだった場合　➡ミスを認め、誠意を示し、心をこめてお詫びしましょう。
- クレーム内容が誤解だった場合　➡患者さんはクレームを出したことを後悔されているはずです。誤解された医療機関にも問題がありますので、優しく声をかけ、誤解を招いたことをお詫びしましょう。

こんなとき
どうする？

● 自分1人では判断できない場合

➡長い時間お待たせすると、怒りが倍増しますので、素早い判断と行動を心がけ、すぐに先輩や上司に相談しましょう。

➡電話の場合は担当者または上司から、あらためて返事すると伝え連絡先をお聞きしましょう。自分の名前を必ず名乗り、相手の連絡先を聞き間違えないようにしましょう。

STEP
UP

クッション言葉

クッション言葉とは……会話の中に使うことで、相手の不快感や怒りなどのマイナス感情をやわらげる効果があります。また、こちらの気持ちを受け入れてもらえる率が高まります。

• 何かを依頼するとき
「恐れ入りますが」「お手数ですが」「ご迷惑をおかけしますが」「ご面倒ですが」「お差し支えなければ」

• 何かを尋ねるとき
「恐れ入りますが」「失礼ですが」「お差し支えなければ」

• 要望に応えられないとき
「申し訳ございませんが」「ご迷惑をおかけしますが」「あいにくですが」

付録② 現場で役立つ外国人応対

外国人の方が来院された場合、日本語が話せる方だったり、通訳できる付き添いの方がいたりすればいいですが、まったく日本語が分からない方が1人だと慌ててしまうかもしれません。

最近は、翻訳アプリ等を持参する方も多いので、アプリや身振り手振りでどうにか伝わる時もあります。ただ、毎回慌てることがないように、受付で使う説明文や、単語はあらかじめリストアップして、すぐに見られる、もしくは、指さしフレーズ集としてお見せできるものを作っておくと良いでしょう。

厚生労働省の「外国人向け多言語説明資料　一覧」などから資料をダウンロードしておくのもおすすめです。

▼厚生労働省「外国人向け多言語説明資料　一覧」
　URL：https://www.mhlw.go.jp/stf/seisakunitsuite/bunya/kenkou_iryou/iryou/kokusai/setsumei-ml.html
　12ヶ国語（英語・中国語・韓国語・ポルトガル語・スペイン語・ウクライナ語・ヒンディー語・インドネシア語・ネパール語・タガログ語・タイ語・ベトナム語）の受付説明資料、問診票などをダウンロードできます。

患者さんが来院およびお帰りになる際

どうなさいましたか？	英 ハ ウ キャヌ アイ ヘルプ ユー How can I help you？
	中 ニンナールブウシューフ 您哪儿不舒服?
健康保険証はお持ちですか？	英 ドゥー ユー ハブ ユア ヘルス インシュアランス カード Do you have your health insurance card?
	中 ニンダイジエンカンバオシエンジェン ラ マ 您带健康保险证了吗?
（保険証がない場合） 自費診療になります。	英 ユー ウィル ハフ トゥー ペイ ザ フル フィー You will have to pay the full fee.
	中 ルウグオメイヨウバオシエンジェン　シュイヤオヅーフェイヂィリャオ （如果没有保险证）需要自费治疗。
この問診票に記入して頂けますか？	英 キャン ユー プリーズ フィル アウト ディス メディカル クエスチョネア Can you please fill out this medical questionnaire?
	中 チンティエンシエチョーチャンウエンジェンビァオ 请填写这张问诊表。
申し訳ありません。当院は英語（中国語）が話せるものがおりません。	英 アイム ソーリー　ノー ワン スピークス イングリッシュ アット アワー クリニック I'm sorry. No one speaks English at our clinic.
	中 フェイチャンバオチエン　ベンユエンメイヨウレンフイシュオヂョンウェン 非常抱歉。本院没有人会说中文。

紹介状はお持ちですか？	英	ドゥ ユー ハブ ア レター オブ イントロダクション Do you have a letter of introduction?
	中	ニンヨウジエシャオシン マ 您有介绍信吗？
待っている間に、気分が悪くなったらすぐ申し出てください。	英	プリーズ テル アス イミーディエットリー イフ ユー フィール シック ワイル ユー ア ウェイティング Please tell us immediately if you feel sick while you are waiting.
	中	ルウグオザイダンホウチージエンガンダオブウシューフ　チンマシャンガオ スウオメン 如果在等候期间感到不舒服，请马上告诉我们。
名前のスペルと生年月日を教えてください。	英	テル ミー ハウ ユー スペル ユアー ネーム アンド ユア デイト オブ バース Tell me how you spell your name and your date of birth.
	中	チン ガオ スウオニン ダ ミンツ ダ ピンファホーチューションニエンユエルー 请告诉我您的名字的拼法和出生年月日。
今、混んでいます。ここで〇〇分ぐらいお待ちください。	英	メニー ペイシェンツ アー ウェイティング プリーズ ウェイト ヒア フォー アバウト 〇〇 ミニッツ Many patients are waiting. Please wait here for about 〇〇 minutes.
	中	シエンザイレンビィジァオドゥオ　チンザイチョーリダンホウ〇〇フェンジョンブヨウ 现在人比较多。请在这里等候〇〇分钟左右。
お会計は〇〇円です。	英	ザ トータル カムズ トゥー The total comes to 〇〇 yen.
	中	イーゴンシィ　ルーユエン 一共是〇〇日元。
薬局で薬をもらってください。	英	プリーズ レシーブ ユア メディシン アット ザ ファーマシー Please receive your medicine at the pharmacy.
	中	チンダオヤオジュイチューヤオ 请到药局取药。
お大事にしてください。	英	テイク ケア オブ ユアセルフ Take care. (of yourself)
	中	チンドゥオバオジョン 请多保重。

患者さんに症状等を聞く際

持病はありますか？	英	ドゥ ユー ハブ エニイ クロニク ディズィーゼス Do you have any chronic diseases?
	中	ニンヨウマンシンビン マ 您有慢性病吗？
現在服用している薬はありますか？	英	アー ユー テイキング エニイ メディシンズ Are you taking any medicines?
	中	ニンヨウチォンザイフウヨン ダ ヤオウ マ 您有正在服用的药物吗？
何かアレルギーはありますか？	英	ドゥ ユー ハブ エニイ アレルギー Do you have any allergies?
	中	ニンヨウシェンマグオミン マ 您有什么过敏吗？
妊娠していますか？	英	アー ユー プレグナント Are you pregnant?
	中	ニンヨウメイヨウホァイユン 您有没有怀孕？
熱はありますか？	英	ドゥ ユー ハブ ア フィーバー Do you have a fever?
	中	ニンファーシャオ マ 您发烧吗？

〈その他の症状〉

腹痛	英 stomachache ス タ マ ケ イ ク	頭痛	英 headache ヘ デ ィ ク	吐き気	英 nauseous ノ ー シ ャ ス
	中 腹痛 フ ゥ ト ン		中 头痛 ト ゥ ト ン		中 恶心 ウ ー シ ン
咳	英 cough コ ー フ	のどの 痛み	英 throat pain ス ロ ウ ト ペ イ ン	鼻水	英 runny nose ラ ニ ー ノ ー ズ
	中 咳嗽 カ ー ソ ウ		中 嗓子疼 サ ン ツ タ ン		中 流鼻涕 リ ュ ビ ィ ティ
風邪	英 cold コ ー ル ド	出血	英 bleeding ブ リ ィ ー デ ィ ン グ		
	中 感冒 ガ ン マ オ		中 出血 チ ュ ー シ エ		

 人体の図をお見せして具合の悪い部位を指さしで選んでもらうのもひとつの方法です

現場でよく使われるその他の単語

受付	英 reception レ セ プ シ ョ ン	内科	英 internal medicine イ ン タ ー ナ ル メ デ ィ シ ン	待合室	英 waiting room ウ ェ イ テ ィ ン グ ル ー ム
	中 挂号 グ ァ ハ オ		中 内科 ネ イ ク ァ		中 候诊室 ホ ウ ジ ェ ン シ ィ
初診	英 first visit フ ァ ー ス ト ビ ジ ッ ト	再診	英 return visit リ タ ー ン ビ ジ ッ ト	保険証	英 health insurance card ヘ ル ス イ ン シ ュ ア ラ ン ス カ ー ド
	中 初诊 チ ュ ー ジ ェ ン		中 复诊 フ ゥ ジ ェ ン		中 保险证 バ オ シ エ ン ジ ェ ン
診察券	英 patient ID card ペ イ シ ェ ン ト ア イ デ ィ ー カ ー ド	問診票	英 (medical) questionnaire メ デ ィ カ ル ク エ ス チ ョ ネ ア	処方箋	英 prescription プ リ ス ク リ プ シ ョ ン
	中 就诊卡 ジ ウ ジ ェ ン カ ァ		中 问诊表 ウ エ ン ジ ェ ン ビ ァ オ		中 处方 チ ュ ー フ ァ ン
薬局	英 pharmacy フ ァ ー マ シ ー	再診 予約	英 a return appointment ア リ タ ー ン ア ポ イ ン ト メ ン ト		
	中 药局 ヤ オ ジ ュ イ		中 复诊预约 フ ゥ ジ ェ ン ユ ゥ ユ エ		

英 英語、中 中国語簡体字（中華人民共和国などで使用）

265

さくいん

た行

● 著者　　酒井 深有（さかい みゆき）
株式会社 GLANZ（グランツ）代表
病院勤務を契機に、病院・クリニック・調剤薬局・医療ソフトメーカー・医療事務派遣会社・レセプト点検請負会社・新人現場教育担当など幅広い業務に携わり現場スキルを身につける。その後、独立し株式会社 GLANZ を設立。医療事務こそが医療サービスの基盤（土台）を支え、医療機関の安定が患者さんへの安心・信頼につながるという指針を基に「現場力」を重視したスキルアップ指導を行う。特に医療機関のカラーに応じたオーダーメイド指導に定評があり、これまで 600 名以上に提供している。

装　丁　　● 佐藤 綾子（Tangerine Design）
イラスト　● すぎやまえみこ
編　集　　● 株式会社ビーコムプラス

法改正・正誤等の情報につきましては、下記「ユーキャンの本」ウェブサイトでご覧いただけます。
https://www.u-can.co.jp/book/information

ユーキャンの医療事務 **リアルにわかるお仕事マニュアル**〔クリニック編〕第 3 版

発行者	品川泰一	2020 年 7 月 27 日　初　版　第 1 刷発行
発行所	株式会社 ユーキャン 学び出版	2022 年 9 月 9 日　第 2 版　第 1 刷発行
	〒 151-0053	2024 年 9 月 20 日　第 3 版　第 1 刷発行
	東京都渋谷区代々木 1-11-1	
	Tel 03-3378-2226	
発売元	株式会社 自由国民社	
	〒 171-0033	
	東京都豊島区高田 3-10-11	
	Tel 03-6233-0781（営業部）	
印刷・製本	シナノ書籍印刷株式会社	